하루 10분 서술형/문장제 학습지

수학 독해

P2 비교하기
6세~8세

씨투엠

수학독해 : 수학을 스스로 읽고 해결하다

객관식이나 간단한 단답형 문제는 자신 있는데 긴 문장이나 풀이 과정을 쓰라는 문제는 어려워하는 아이들이 있어요. 빠르고 정확하게 연산하고 교과 응용문제까지도 곧잘 풀어내지만, 문제 속 상황이 약간만 복잡해지면 문제를 풀려고도 하지 않는 아이들도 많아요. 이러한 아이들에게 부족한 것은 연산 능력이나 문제 해결력보다는 독해력과 표현력입니다. 특히 수학적 텍스트를 이해하고 표현하는 능력, 즉 수학 독해력이지요.

요즘 아이들의 독해력이 약해진 가장 큰 이유는 과거에 비해 이야기를 만나는 방식이 다양해졌기 때문이에요. 예전에는 대부분 말이나 글로써만 이야기를 접했어요. 텍스트 위주로 여러 가지 사건을 간접 체험하고, 머릿 속으로 상황을 그려내는 훈련이 자연스럽게 이루어졌지요. 반면 요즘 아이들은 글보다도 TV나 스마트폰 등 영상매체에 훨씬 빨리, 자주 노출되기에 글을 통해 상상을 할 필요가 점점 없어지게 되었습니다.

그렇다고 아이들에게 어렸을 때부터 영화나 애니메이션을 못 보게 하고 책만 읽게 하는 것은 바람직하지 않고, 가능하지도 않아요. 시각 매체는 그 자체로 많은 장점이 있기 때문에 지금의 아이들은 예전 세대에 비해 이미지에 대한 이해력과 적용력이 매우 뛰어나답니다. 문제는 아직까지 모든 학습과 평가 방식이 여전히 텍스트 위주이기 때문에 지금도 아이들에게 독해력이 중요하다는 점이에요. 그래서 저희는 영상 매체에는 익숙하지만 말이나 글에는 약한 아이들을 위한 새로운 수학 독해력 향상 프로그램인 씨투엠 수학독해를 기획하게 되었어요.

씨투엠 수학독해는 기존 문장제/서술형 교재들보다 더욱 쉽고 간단한 학습법을 보여주려 해요. 문제에 있는 문장과 표현 하나하나마다 따로 접근하여 아이들이 어려워하는 포인트를 찾고, 각 포인트마다 직관적인 활동을 통해 독해력과 표현력을 차근차근 끌어올리려고 합니다. 또한 문제 이해와 풀이 서술 과정을 단계별로 세세하게 나누어 문장제, 서술형 문제를 부담 없이 체계적으로 연습할 수 있어요. 새로운 문장제 학습법인 씨투엠 수학독해가 문장제 문제에 특히 어려움을 겪고 있거나 앞으로 서술형 문제를 좀 더 잘 대비하고 싶은 아이들에게 큰 도움이 될 것이라 자신합니다.

씨투엠

수학독해의 구성과 특징

- 매일 부담없이 2쪽씩, 하루 10분 문장제 학습
- 매주 5일간 단계별 활동, 6일차는 중요 문장제 확인학습
- 5회분의 진단평가로 테스트 및 복습

주차별 구성

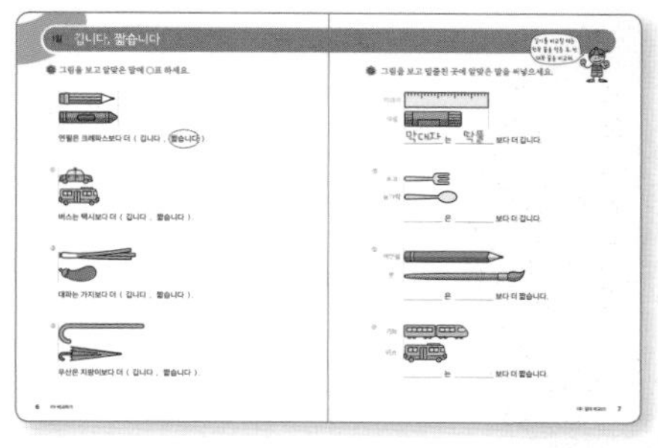

일일학습

꼬마 수학자들의 간단한 팁과 함께 매일 새롭게 만나는 단계별 문장제 활동

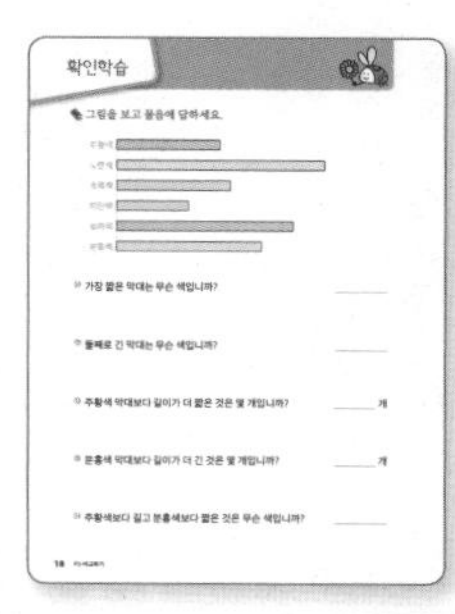

확인학습

중요 문장제 활동을 다시 한번 확인하며 주차 학습 마무리

	1일	2일	3일	4일	5일	확인학습
1주차	6쪽 ~ 7쪽	8쪽 ~ 9쪽	10쪽 ~ 11쪽	12쪽 ~ 13쪽	14쪽 ~ 15쪽	16쪽 ~ 18쪽
2주차	20쪽 ~ 21쪽	22쪽 ~ 23쪽	24쪽 ~ 25쪽	26쪽 ~ 27쪽	28쪽 ~ 29쪽	30쪽 ~ 32쪽
3주차	34쪽 ~ 35쪽	36쪽 ~ 37쪽	38쪽 ~ 39쪽	40쪽 ~ 41쪽	42쪽 ~ 43쪽	44쪽 ~ 46쪽
4주차	48쪽 ~ 49쪽	50쪽 ~ 51쪽	52쪽 ~ 53쪽	54쪽 ~ 55쪽	56쪽 ~ 57쪽	58쪽 ~ 60쪽

진단평가 구성

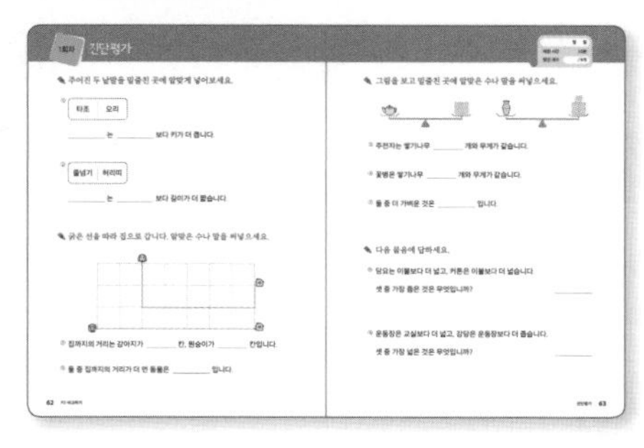

진단평가

4주 간의 문장제 학습에서 부족한 부분을 확인하고 복습하기 위한 자가 진단 테스트

	1회	2회	3회	4회	5회
진단평가	62쪽 ~ 63쪽	64쪽 ~ 65쪽	66쪽 ~ 67쪽	68쪽 ~ 69쪽	70쪽 ~ 71쪽

이 책의 차례

1주차

길이 비교(1)

1일 깁니다, 짧습니다

그림을 보고 알맞은 말에 ○표 하세요.

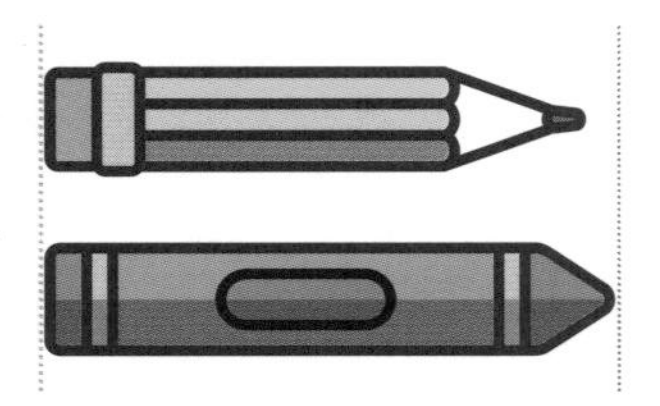

연필은 크레파스보다 더 (깁니다 , 짧습니다).

①

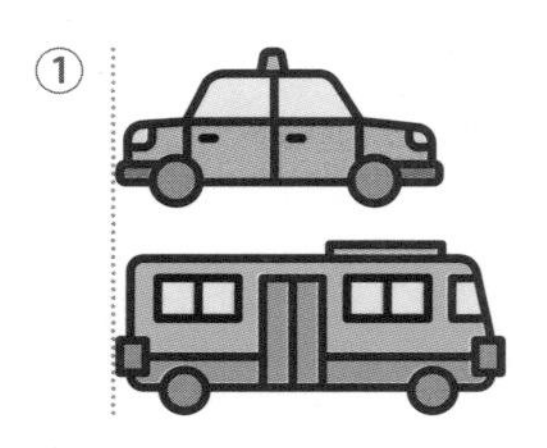

버스는 택시보다 더 (깁니다 , 짧습니다).

②

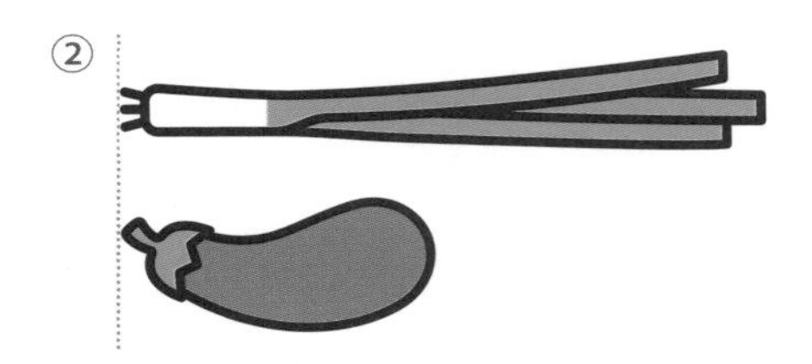

대파는 가지보다 더 (깁니다 , 짧습니다).

③

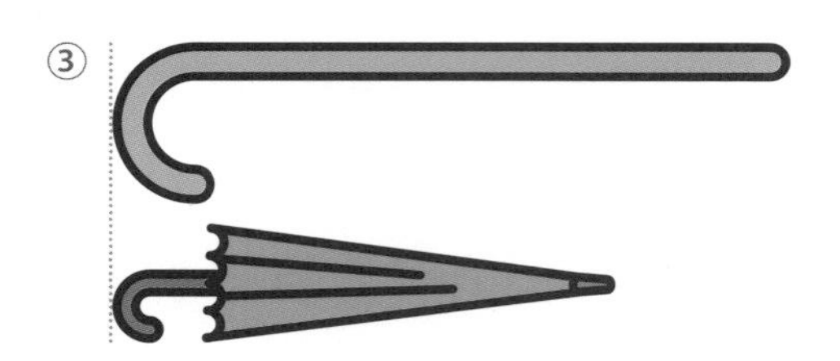

우산은 지팡이보다 더 (깁니다 , 짧습니다).

길이를 비교할 때는 한쪽 끝을 맞춘 후, 반대쪽 끝을 비교해.

❀ 그림을 보고 밑줄친 곳에 알맞은 말을 써넣으세요.

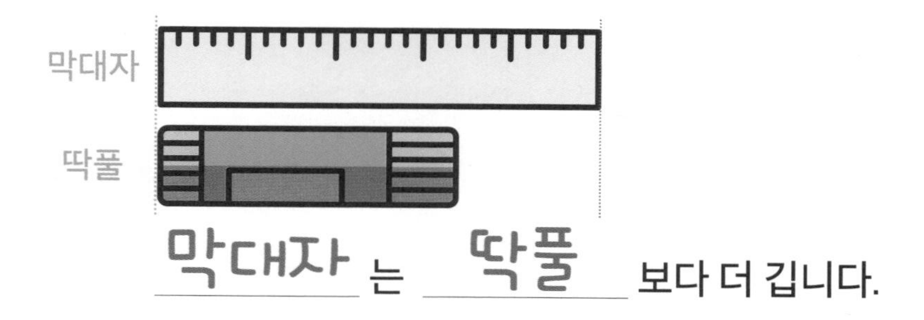

막대자 는 딱풀 보다 더 깁니다.

①

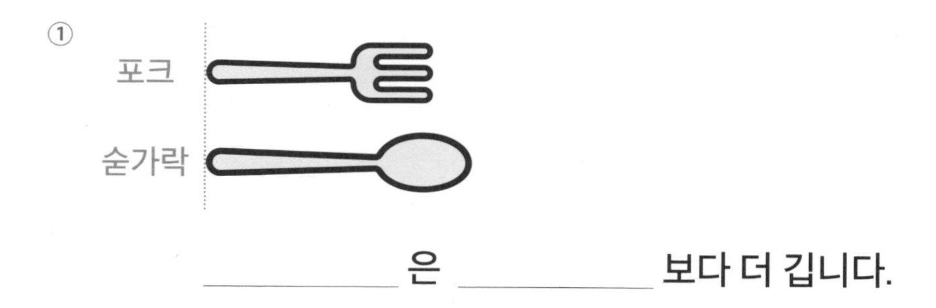

__________ 은 __________ 보다 더 깁니다.

②

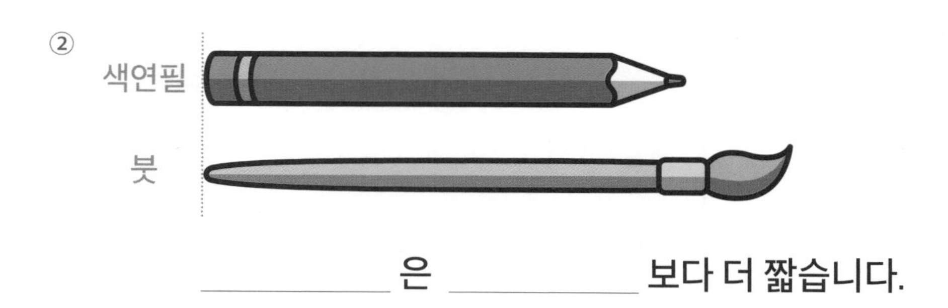

__________ 은 __________ 보다 더 짧습니다.

③

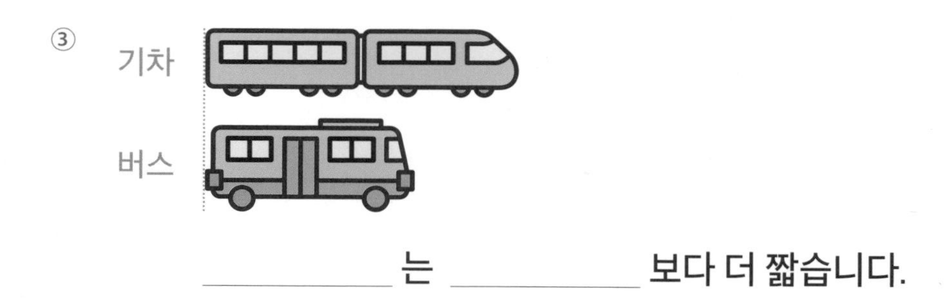

__________ 는 __________ 보다 더 짧습니다.

2일 높습니다, 낮습니다

그림을 보고 알맞은 말에 ○표 하세요.

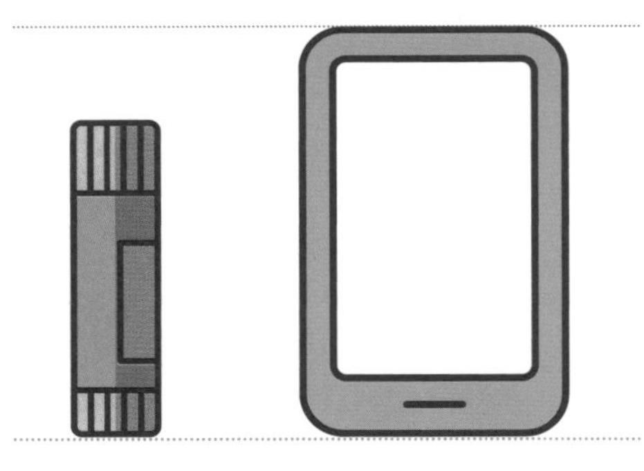

휴대폰은 딱풀보다 높이가 더 (높습니다 , 낮습니다).

① 꽃병은 주전자보다 높이가 더 (높습니다 , 낮습니다).

② 등대는 나무보다 높이가 더 (높습니다 , 낮습니다).

주어진 두 낱말을 밑줄친 곳에 알맞게 넣어 보세요.

건물	우체통

건물 은 우체통 보다 높이가 더 높습니다.

①

땅	하늘

________ 은 ________ 보다 더 낮게 있습니다.

②

7층	4층

________ 은 ________ 보다 높이가 더 낮습니다.

③

천장	바닥

________ 은 ________ 보다 더 높이 있습니다.

3일 키가 큽니다, 키가 작습니다

그림을 보고 주어진 두 낱말을 밑줄친 곳에 알맞게 넣어 보세요.

기린	코끼리

기린 은 코끼리 보다 키가 더 큽니다.

①

곰	원숭이

________ 는 ________ 보다 키가 더 작습니다.

②

홍학	코끼리

________ 는 ________ 보다 키가 더 큽니다.

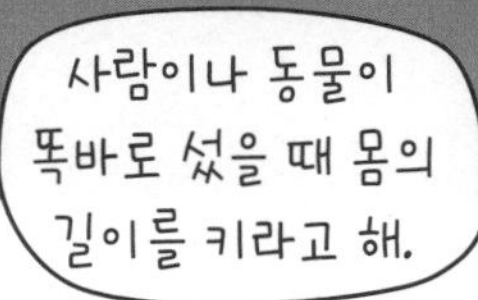

길이 표현이 올바른 것은 ○표, 틀린 것은 ×표 하세요.

세훈이는 연수보다 키가 더 높습니다. ×

높습니다 ➡ 큽니다

① 지팡이는 연필보다 길이가 더 큽니다.

② 칫솔은 숟가락보다 길이가 더 짧습니다.

③ 한라산은 지리산보다 높이가 더 깁니다.

④ 우진이는 동생보다 키가 더 작습니다.

4일 가장

그림을 보고 밑줄친 곳에 알맞은 말을 써넣으세요.

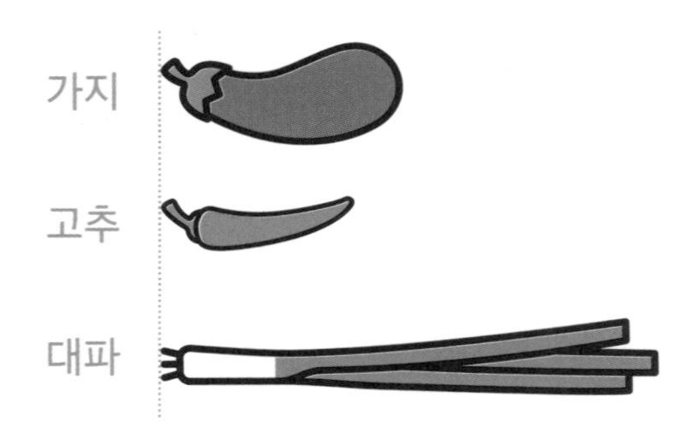

셋 중 가장 긴 것은 ___대파___ 입니다.

① 셋 중 가장 짧은 것은 ________ 입니다.

② 셋 중 가장 높은 것은 ________ 입니다.

③ 셋 중 둘째로 높은 것은 ________ 입니다.

④ 셋 중 가장 낮은 것은 ________ 입니다.

그림을 보고 물음에 답하세요.

셋 중에서 둘째로 키가 작은 동물은 무엇입니까? 곰

① 셋 중에서 가장 키가 작은 동물은 무엇입니까? ______

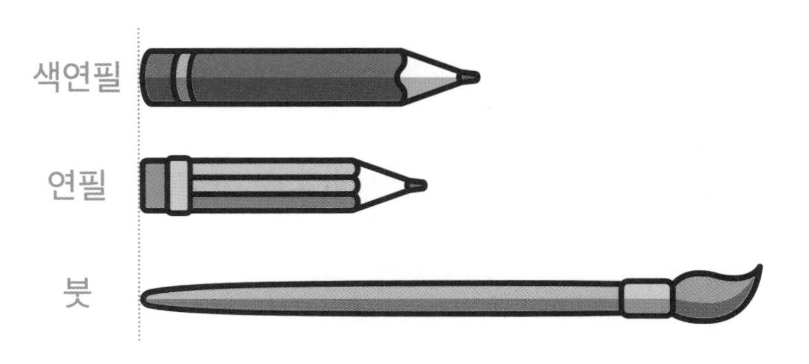

② 셋 중에서 가장 긴 것은 무엇입니까? ______

③ 셋 중에서 가장 짧은 것은 무엇입니까? ______

5일 보다 더 길거나 짧은

❀ 길이 조건에 맞는 막대를 모두 찾아 색칠해 보세요.

분홍색 막대보다 더 깁니다.

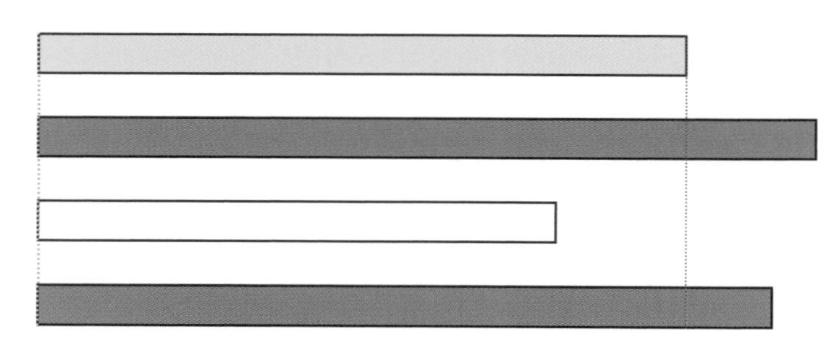

① 파란색 막대보다 더 짧습니다.

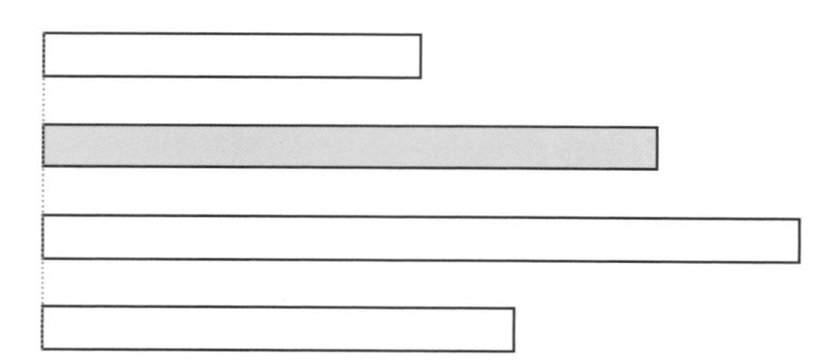

② 초록색 막대보다 더 길고, 노란색 막대보다 더 짧습니다.

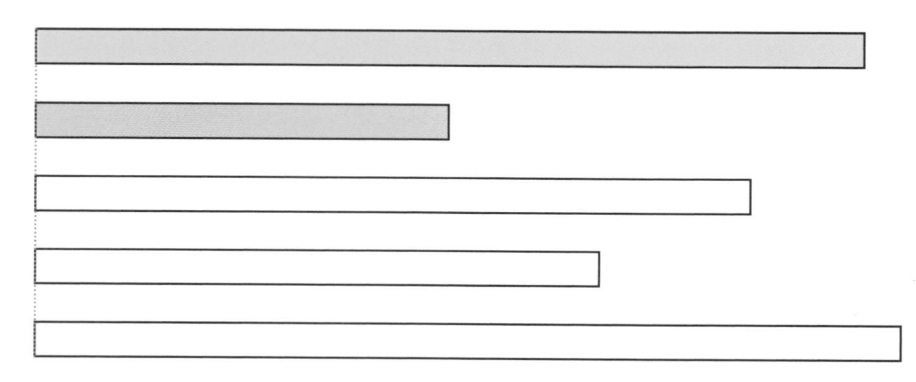

❀ 그림을 보고 물음에 답하세요.

주황색

노란색

초록색

파란색

보라색

분홍색

가장 긴 막대는 무슨 색입니까? 노란색

① 둘째로 짧은 막대는 무슨 색입니까? ________

② 파란색 막대보다 길이가 더 짧은 것은 몇 개입니까? ________ 개

③ 초록색 막대보다 길이가 더 긴 것은 몇 개입니까? ________ 개

④ 주황색보다 길고, 노란색보다 짧은 것은 무슨 색입니까? ________

확인학습

주어진 두 낱말을 밑줄친 곳에 알맞게 넣어 보세요.

①

보아뱀	개구리

_________ 는 _________ 보다 몸 길이가 더 짧습니다.

②

냉장고	전봇대

_________ 는 _________ 보다 높이가 더 높습니다.

길이 표현이 올바른 것은 ○표, 틀린 것은 ×표 하세요.

③ 버스는 기차보다 길이가 더 짧습니다. ☐

④ 남대문은 다보탑보다 높이가 더 큽니다. ☐

⑤ 연주는 소은이보다 키가 더 낮습니다. ☐

✎ 그림을 보고 물음에 답하세요.

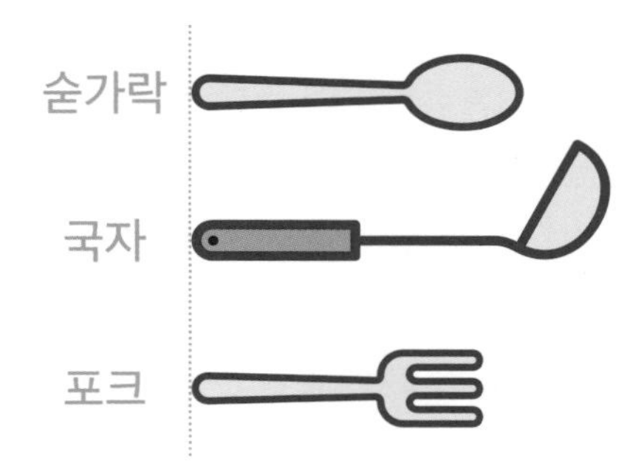

⑥ 셋 중에서 가장 짧은 것은 무엇입니까? ____________

⑦ 셋 중에서 둘째로 긴 것은 무엇입니까? ____________

⑧ 셋 중에서 가장 긴 것은 무엇입니까? ____________

✎ 보라색 막대보다 길이가 긴 막대를 모두 찾아 색칠하세요.

⑨

확인학습

그림을 보고 물음에 답하세요.

⑩ 가장 짧은 막대는 무슨 색입니까? ________

⑪ 둘째로 긴 막대는 무슨 색입니까? ________

⑫ 주황색 막대보다 길이가 더 짧은 것은 몇 개입니까? ________ 개

⑬ 분홍색 막대보다 길이가 더 긴 것은 몇 개입니까? ________ 개

⑭ 주황색보다 길고 분홍색보다 짧은 것은 무슨 색입니까? ________

2주차

길이 비교(2)

1일 긴 것부터 순서대로

길거나 높거나 키가 큰 것부터 빈 곳에 이름을 써넣으세요.

딱풀은 가위보다 더 짧습니다.

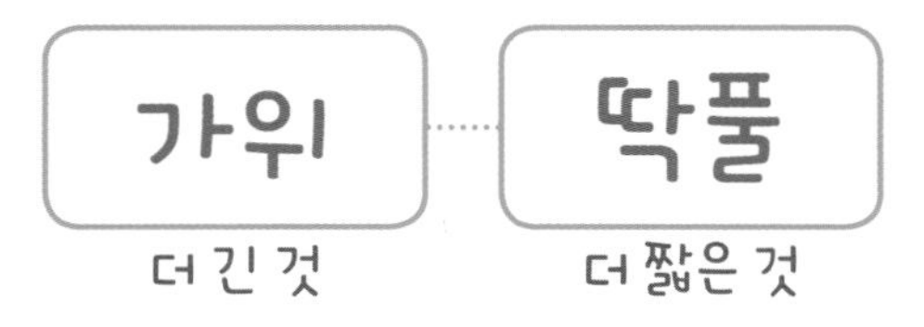

① 빌딩은 탑보다 더 낮습니다.

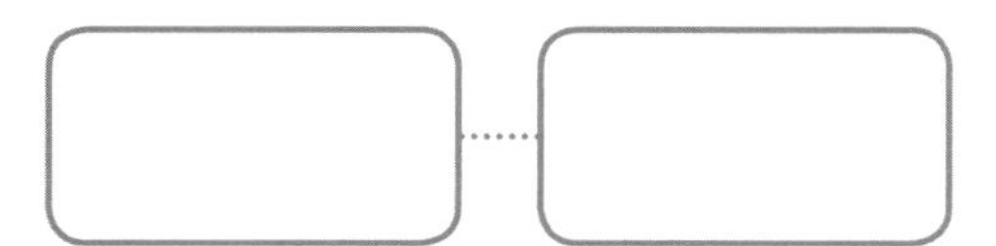

② 곰은 원숭이보다 키가 더 큽니다.

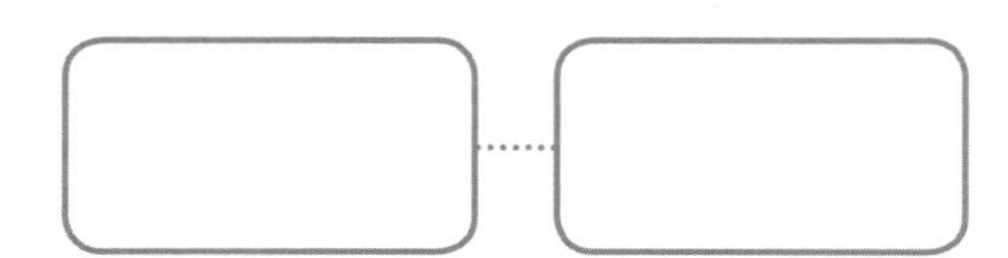

③ 가로등은 사다리보다 더 높습니다.

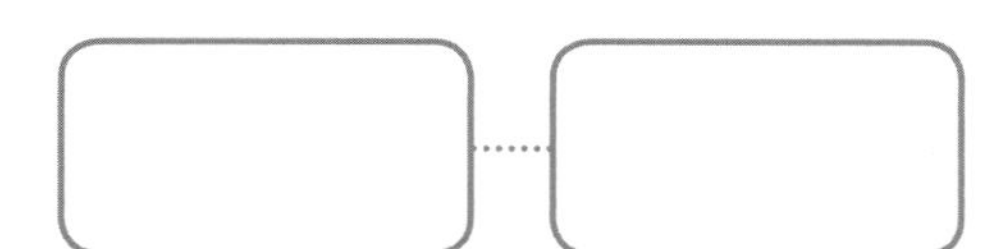

④ 막대자는 붓보다 더 깁니다.

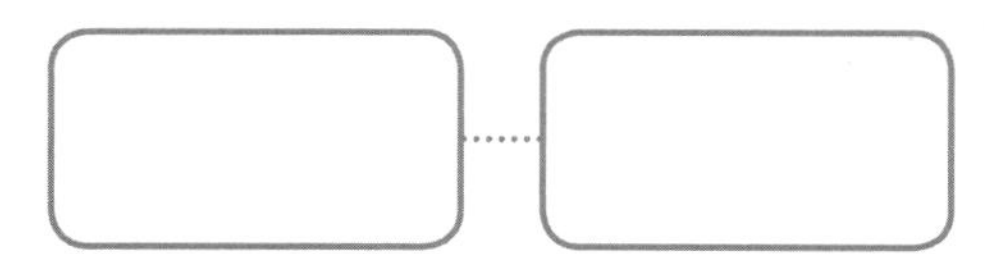

⑤ 동생은 엄마보다 키가 더 작습니다.

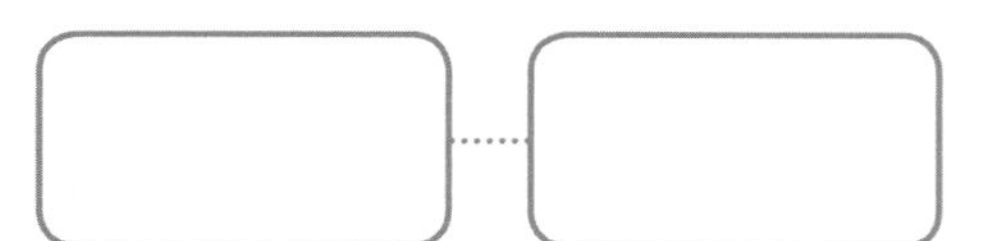

❀ 길이가 긴 막대부터 빈 곳에 색깔을 써넣으세요.

주황색

노란색

파란색

노란색	주황색	파란색
가장 긴 것	둘째로 긴 것	가장 짧은 것

①

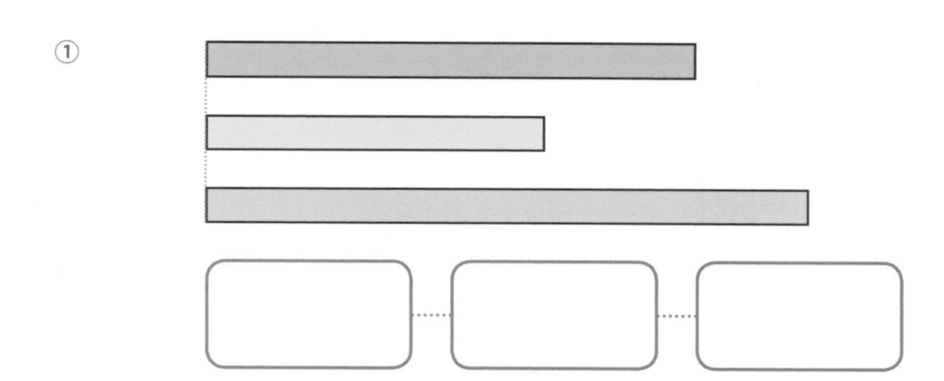

②

2일 길이 순서 찾기(1)

길거나 높거나 키가 큰 것부터 빈 곳에 이름을 써넣으세요.

한라산은 지리산보다 더 높습니다.

지리산은 설악산보다 더 높습니다.

한라산 | 지리산
지리산 | 설악산

➡ 한라산 | 지리산 | 설악산

가장 높은 것 | 둘째로 높은 것 | 가장 낮은 것

① 국자는 우산보다 더 짧습니다.

우산은 지팡이보다 더 짧습니다.

➡

② 기린은 코끼리보다 키가 더 큽니다.

사자는 코끼리보다 키가 더 작습니다.

➡

긴 순서대로 이름을 써넣고, 물음에 맞게 색칠하세요.

한강은 낙동강보다 더 길고, 낙동강은 금강보다 더 깁니다.

셋 중 가장 짧은 강은 무엇입니까?

① 지렁이는 장어보다 더 짧고, 장어는 보아뱀보다 더 짧습니다.

셋 중 가장 긴 동물은 무엇입니까?

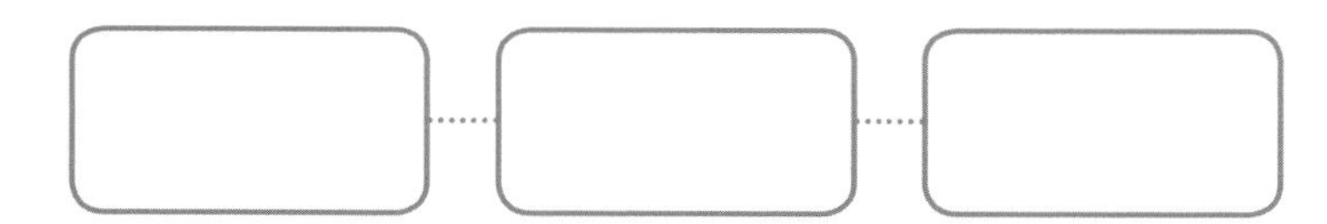

② 강재는 은서보다 키가 더 크고, 지아보다 키가 더 작습니다.

셋 중 키가 둘째로 큰 사람은 누구입니까?

③ 소나무는 감나무보다 더 낮고, 벚나무보다 더 높습니다.

셋 중 가장 낮은 나무는 무엇입니까?

길이 순서 찾기(2)

두 가지 물음에 순서대로 답하세요.

레이는 노아보다 키가 더 크고, 제나보다 키가 더 큽니다.

셋 중 키가 가장 큰 사람은 누구입니까? 레이

레이 - [ ] - [ ]

노아는 제나보다 키가 더 큽니다.

셋 중 둘째로 키가 큰 사람은 누구입니까? 노아

레이 - 노아 - 제나

① 칫솔은 숟가락보다 더 짧고, 젓가락보다 더 짧습니다.

셋 중 가장 짧은 것은 무엇입니까? ______

젓가락은 숟가락보다 더 깁니다.

셋 중 둘째로 짧은 것은 무엇입니까? ______

② 소방차는 버스보다 더 길고, 트럭보다 더 깁니다.

셋 중 가장 긴 차는 무엇입니까? ______

트럭은 버스보다 더 짧습니다.

셋 중 가장 짧은 차는 무엇입니까? ______

긴 순서대로 이름을 써넣고, 물음에 맞게 색칠하세요.

붓은 연필보다 더 길고, 색연필보다 더 깁니다.

연필은 색연필보다 더 짧습니다.

셋 중 가장 짧은 것은 무엇입니까?

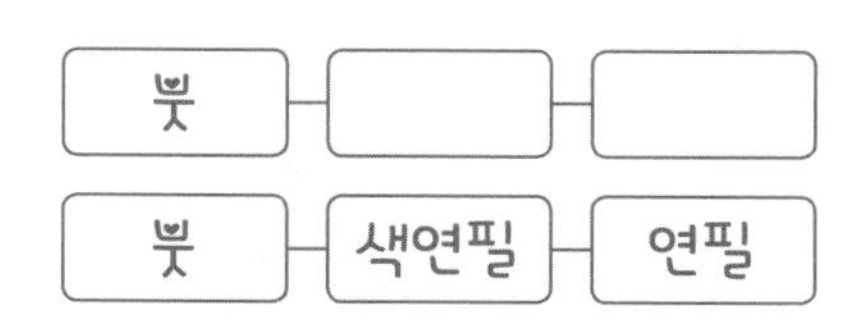

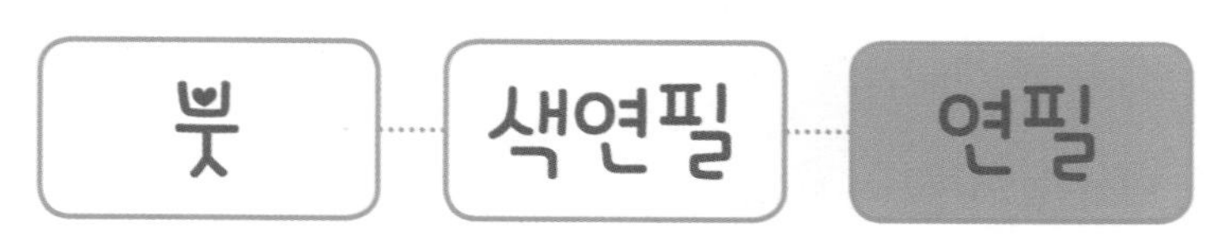

① 가로등은 신호등보다 더 높고, 우체통보다 더 높습니다.

신호등은 우체통보다 더 높습니다.

셋 중 둘째로 낮은 것은 무엇입니까?

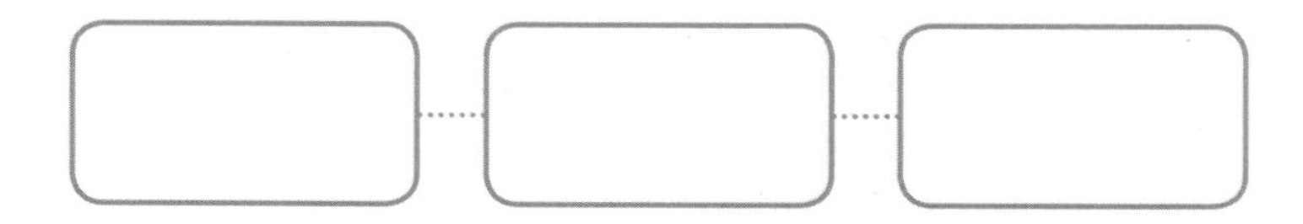

② 은비는 언니보다 키가 더 작고, 오빠는 은비보다 키가 더 큽니다.

오빠는 언니보다 키가 더 작습니다.

셋 중 키가 가장 큰 사람은 누구입니까?

4일 눈금 몇 칸 길이

밑줄친 곳에 알맞은 수나 말을 써넣으세요.

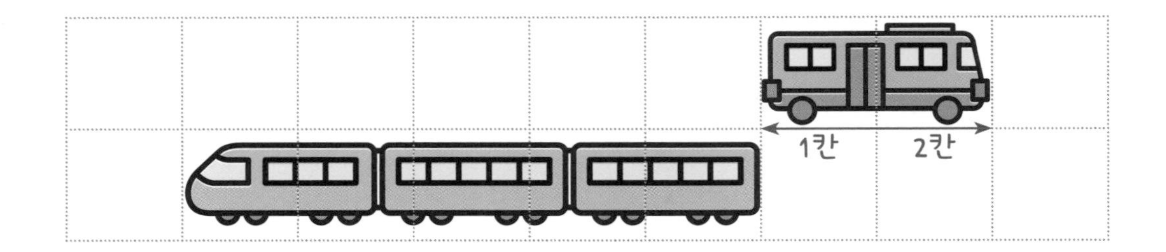

버스의 길이는 눈금 ___2___ 칸입니다.

① 기차의 길이는 눈금 ________ 칸입니다.

② 둘 중 더 긴 것은 __________ 입니다.

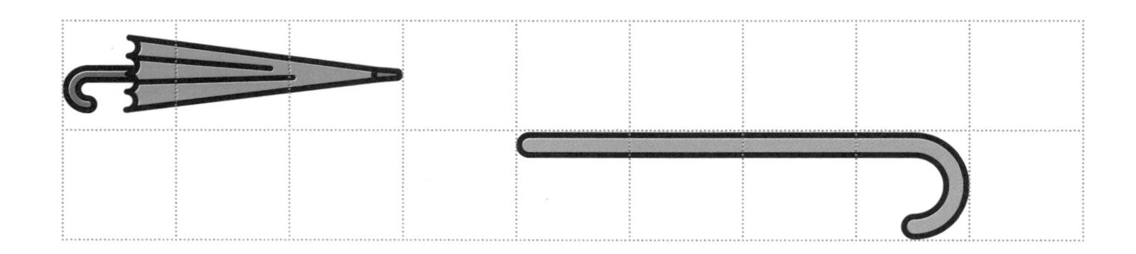

③ 우산의 길이는 눈금 ________ 칸입니다.

④ 지팡이의 길이는 눈금 ________ 칸입니다.

⑤ 둘 중 더 짧은 것은 __________ 입니다.

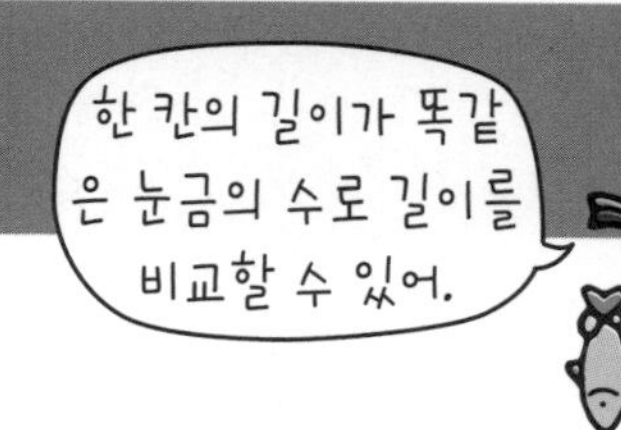

 그림을 보고 물음에 답하세요.

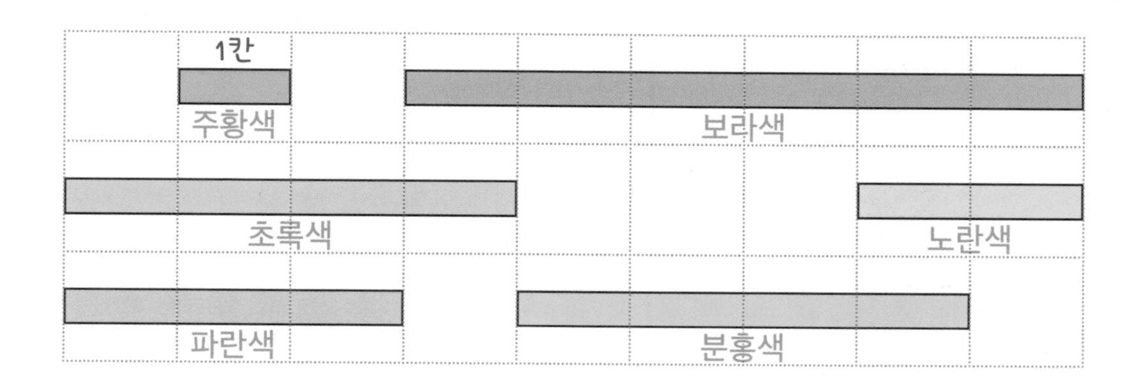

가장 짧은 막대는 무슨 색입니까? 주황색

① 초록색 막대와 길이가 같은 것은 무슨 색입니까? ______

② 보라색 막대의 길이는 눈금 몇 칸입니까? ______ 칸

③ 파란색 막대보다 길이가 짧은 것은 몇 개입니까? ______ 개

④ 주황색보다 길고, 파란색보다 짧은 것은 무슨 색입니까? ______

5일 거리 비교

❀ 굵은 선을 따라 집으로 갑니다. 알맞은 수나 말을 써넣으세요.

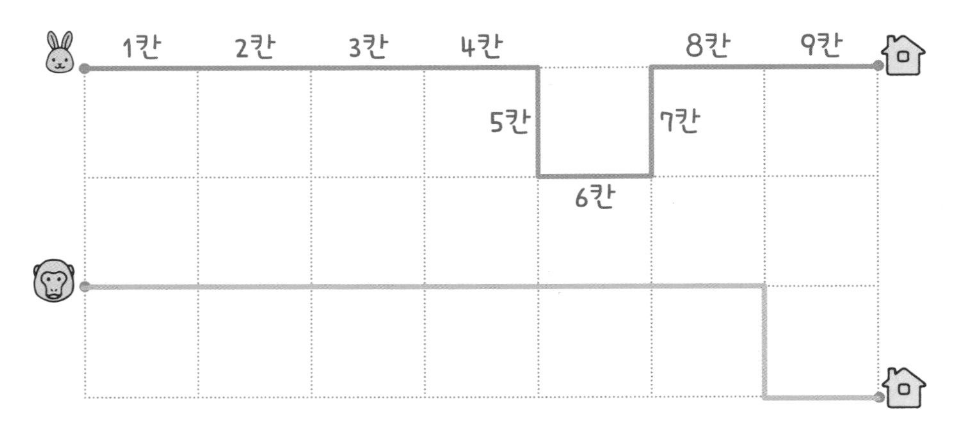

① 집까지의 거리는 토끼가 ___9___ 칸, 원숭이가 ______ 칸입니다.

② 둘 중 집까지의 거리가 더 먼 동물은 ______ 입니다.

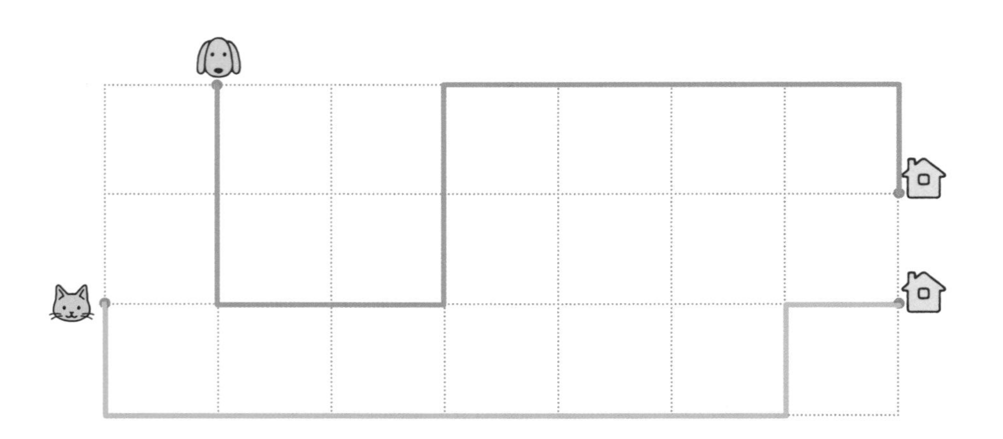

③ 집까지의 거리는 강아지가 ______ 칸, 고양이가 ______ 칸입니다.

④ 둘 중 집까지의 거리가 더 가까운 동물은 ______ 입니다.

두 위치나 장소가
떨어진 길이를 거리
라고 해.

 동물들이 가 ~ 라에 한 마리씩 있습니다. 물음에 답하세요.

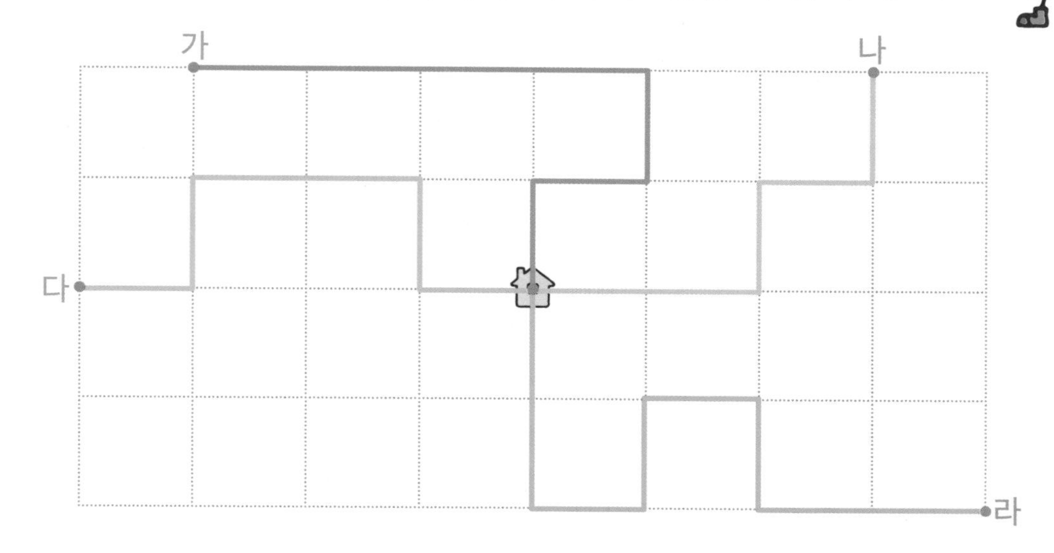

원숭이는 집에서 가장 먼 곳에 있습니다.

원숭이가 있는 곳은 어디입니까? 라

① 토끼는 원숭이보다 집에서 2칸 더 가까운 곳에 있습니다.

토끼가 있는 곳은 어디입니까? ______

② 돼지는 집에서 원숭이보다는 가까이, 토끼보다는 멀리 있습니다.

돼지가 있는 곳은 어디입니까? ______

③ 강아지는 나머지 한 곳에 있습니다.

강아지가 있는 곳은 집에서 몇 칸 떨어져 있습니까? ______ 칸

확인학습

긴 순서대로 이름을 써넣고, 물음에 맞게 색칠하세요.

① 타조는 공작새보다 키가 더 크고, 공작새는 백조보다 키가 더 큽니다.

셋 중 키가 가장 작은 새는 무엇입니까?

② 딱풀은 가위보다 더 짧고, 지우개보다 더 깁니다.

셋 중 가장 긴 것은 무엇입니까?

다음 물음에 답하세요.

③ 국자는 숟가락보다 더 길고, 젓가락보다 더 깁니다.

셋 중 가장 긴 것은 무엇입니까?

④ 세탁기는 에어컨보다 더 낮고, 냉장고보다 더 낮습니다.

에어컨은 냉장고보다 더 낮습니다.

셋 중 가장 높은 것은 무엇입니까?

✎ 그림을 보고 물음에 답하세요.

주황색 보라색 노란색

초록색

파란색 분홍색

⑤ 가장 긴 막대는 무슨 색입니까? ________

⑥ 분홍색 막대와 길이가 같은 것은 무슨 색입니까? ________

⑦ 파란색 막대의 길이는 눈금 몇 칸입니까? ________ 칸

⑧ 노란색 막대보다 길이가 긴 것은 몇 개입니까? ________ 개

⑨ 초록색보다 짧고, 주황색보다 긴 것은 무슨 색입니까? ________

확인학습

✎ 동물들이 가 ~ 라에 한 마리씩 있습니다. 물음에 답하세요.

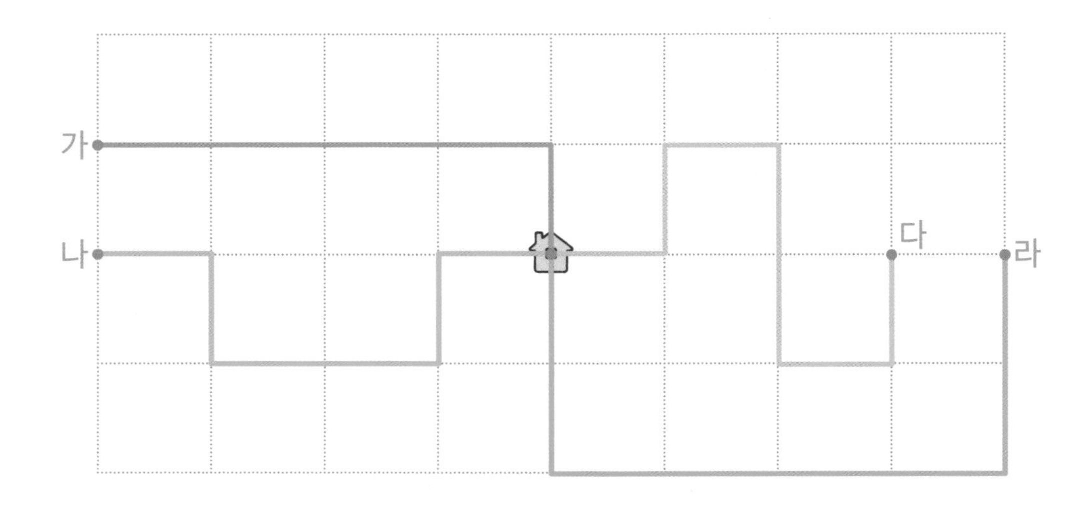

⑩ 닭은 집에서 가장 가까운 곳에 있습니다.

닭이 있는 곳은 어디입니까?

⑪ 토끼보다 멀리 있는 동물은 1마리 밖에 없습니다.

토끼가 있는 곳은 어디입니까?

⑫ 고양이는 집에서 닭보다는 멀고, 토끼보다는 가까이 있습니다.

고양이가 있는 곳은 어디입니까?

⑬ 원숭이는 나머지 한 곳에 있습니다.

원숭이가 있는 곳은 집에서 몇 칸 떨어져 있습니까? ______ 칸

3주차

무게 비교

1일 무겁습니다, 가볍습니다

 그림을 보고 알맞은 말에 ○표 하세요.

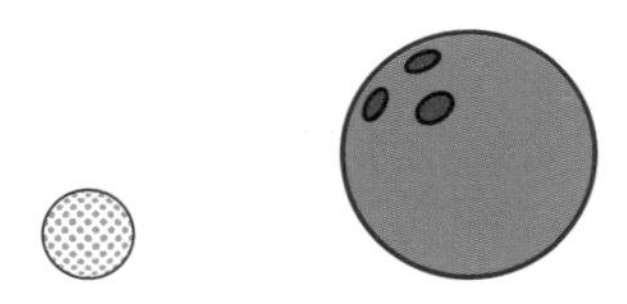

골프공은 볼링공보다 더 (무겁습니다 , 가볍습니다).

①

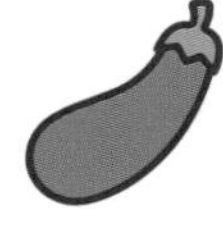 

가지는 고추보다 더 (무겁습니다 , 가볍습니다).

②

 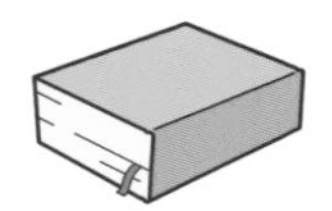

연필은 책보다 더 (무겁습니다 , 가볍습니다).

③

버스는 택시보다 더 (무겁습니다 , 가볍습니다).

그림을 보고 밑줄친 곳에 알맞은 말을 써넣으세요.

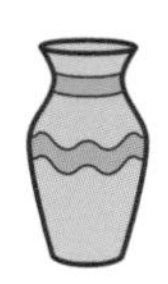

컵

꽃병 은 컵 보다 더 무겁습니다.

컵 은 꽃병 보다 더 가볍습니다.

①

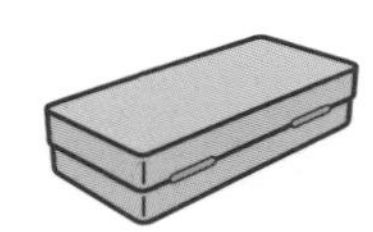
필통

________ 은 ________ 보다 더 무겁습니다.

________ 은 ________ 보다 더 가볍습니다.

②

휴대폰

동전

________ 은 ________ 보다 더 무겁습니다.

________ 은 ________ 보다 더 가볍습니다.

2일

눈으로 무게 비교

그림을 보고 밑줄친 곳에 알맞은 말을 써넣으세요.

셋 중 가장 무거운 것은 코끼리 입니다.

① 셋 중 둘째로 무거운 것은 ________ 입니다.

② 셋 중 가장 가벼운 것은 ________ 입니다.

③ 셋 중 가장 가벼운 것은 ________ 입니다.

④ 셋 중 둘째로 가벼운 것은 ________ 입니다.

⑤ 셋 중 가장 무거운 것은 ________ 입니다.

여러 가지 무게의 나무 도막이 있습니다. 물음에 답하세요.

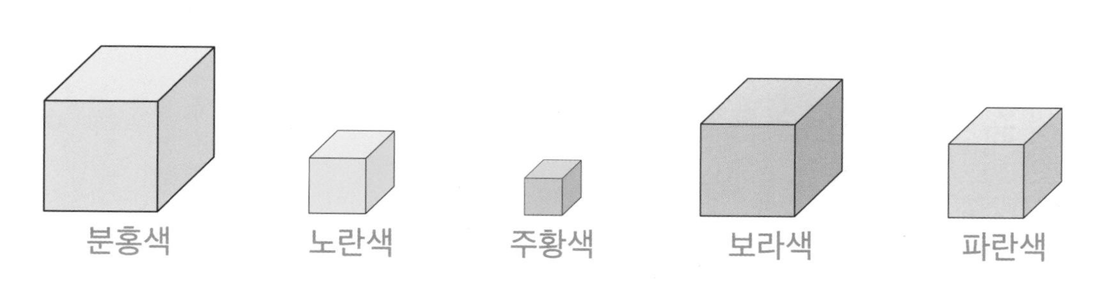

가장 무거운 나무 도막은 무슨 색입니까? 분홍색

① 노란색보다 더 가벼운 나무 도막은 무슨 색입니까? ______

② 보라색보다 더 가벼운 나무 도막은 몇 개입니까? ______ 개

③ 주황색보다 무겁고 파란색보다 가벼운 것은 무슨 색입니까? ______

3일 무게 순서 추리

다음 물음에 답하세요.

냉장고는 세탁기보다 더 무겁고, 에어컨보다 더 무겁습니다.

셋 중 가장 무거운 것은 무엇입니까? 냉장고

냉장고 ― 세탁기

냉장고 ― 에어컨

① 병아리는 강아지보다 더 가볍고, 송아지보다 더 가볍습니다.

셋 중 가장 가벼운 것은 무엇입니까? ______

② 참외는 수박보다 더 가볍고, 수박은 사과보다 더 무겁습니다.

셋 중 가장 무거운 것은 무엇입니까? ______

③ 연지는 지훈이보다 더 가볍고, 기주는 지훈이보다 더 가볍습니다.

셋 중 가장 무거운 것은 누구입니까? ______

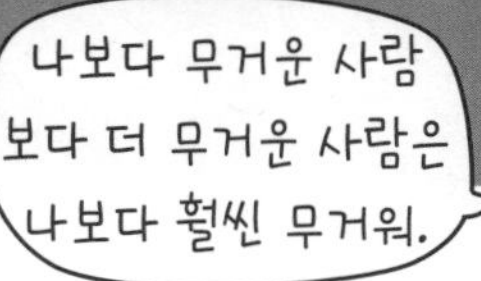

무거운 순서대로 이름을 써넣고, 물음에 맞게 색칠하세요.

달은 지구보다 더 가볍고, 지구는 해보다 더 가볍습니다.

셋 중 둘째로 가벼운 것은 무엇입니까?

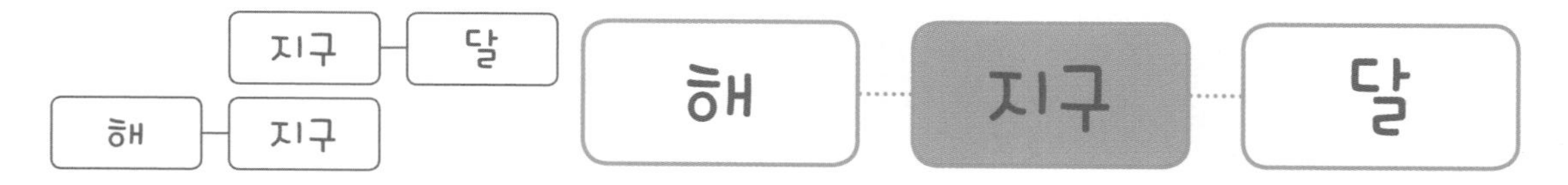

① 타조는 독수리보다 더 무겁고, 독수리는 까치보다 더 무겁습니다.

셋 중 가장 가벼운 것은 무엇입니까?

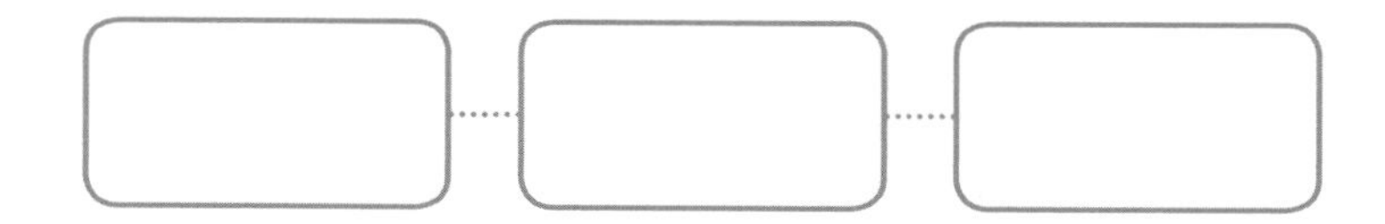

② 자전거는 자동차보다 더 가볍고, 비행기는 자동차보다 더 무겁습니다.

셋 중 둘째로 무거운 것은 무엇입니까?

③ 야구공은 축구공보다 더 가볍고, 탁구공보다 더 무겁습니다.

셋 중 가장 무거운 것은 무엇입니까?

4일 양팔저울로 무게 비교

알맞은 것끼리 연결해 보세요.

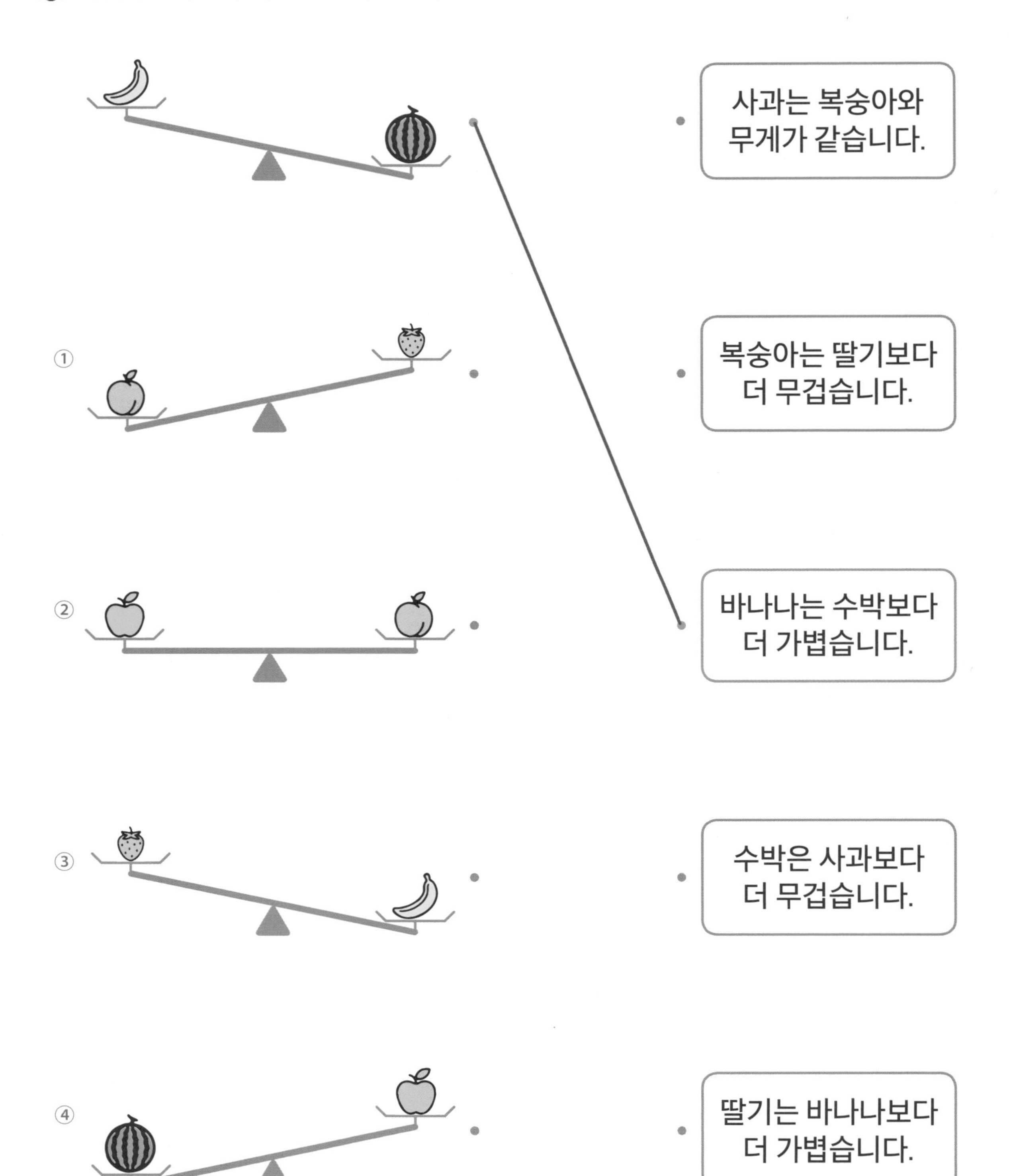

양팔저울에서 아래로 기울어진 쪽이 더 무거워.

그림을 보고 무거운 순서대로 이름을 써넣으세요.

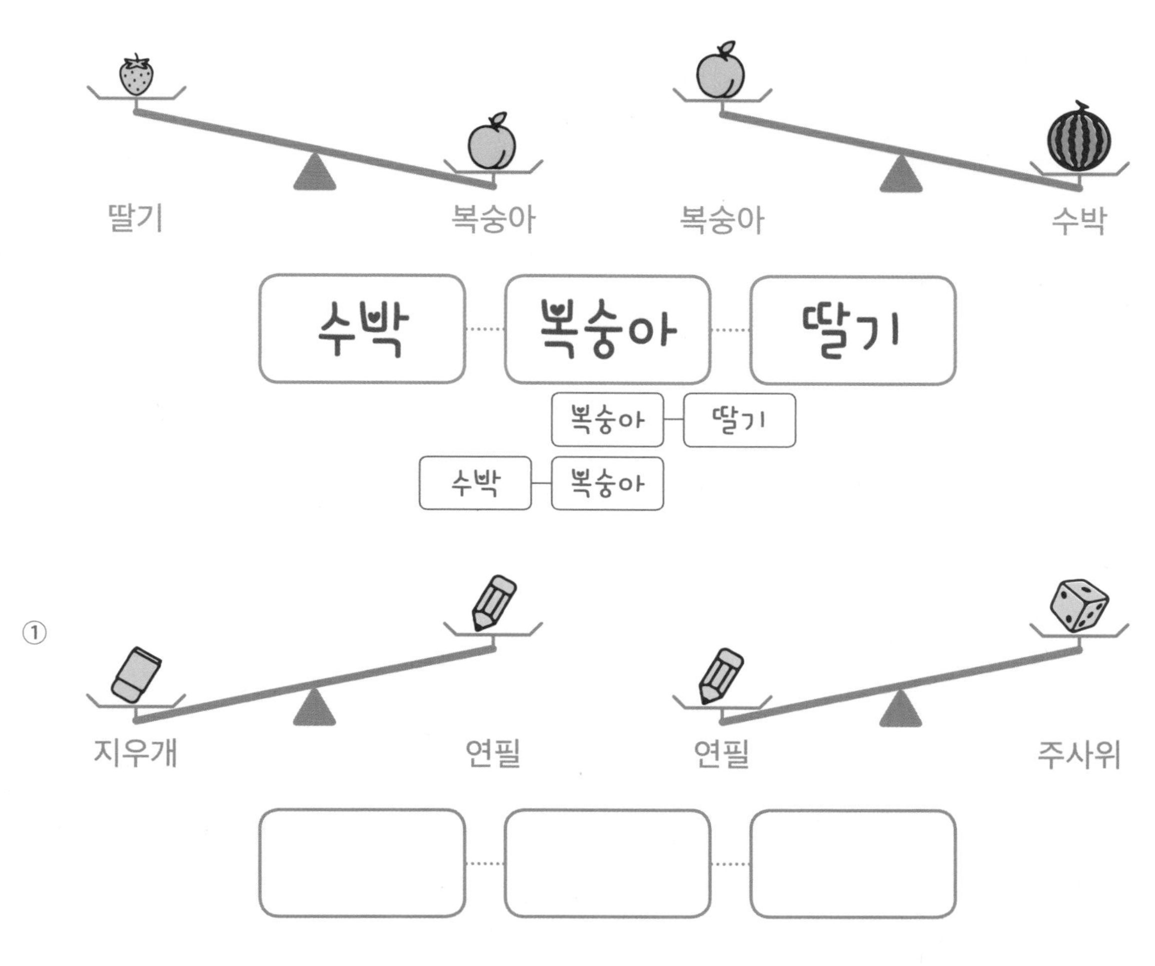

②

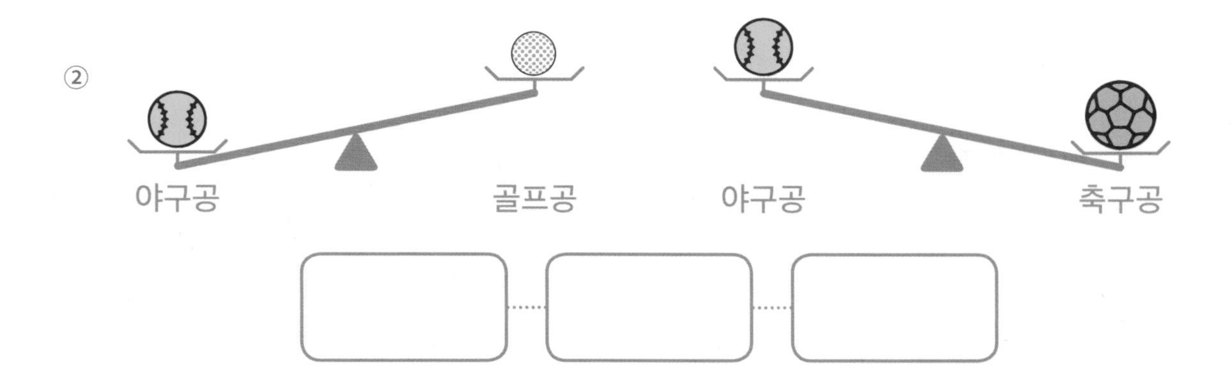

5일 쌓기나무 단위무게

그림을 보고 밑줄친 곳에 알맞은 수나 말을 써넣으세요.

가방은 쌓기나무 ___4___ 개와 무게가 같습니다.

① 공책은 쌓기나무 ______ 개와 무게가 같습니다.

② 둘 중 더 무거운 것은 ________ 입니다.

③ 골프공은 쌓기나무 ______ 개와 무게가 같습니다.

④ 야구공은 쌓기나무 ______ 개와 무게가 같습니다.

⑤ 둘 중 더 가벼운 것은 ________ 입니다.

그림을 보고 물음에 답하세요.

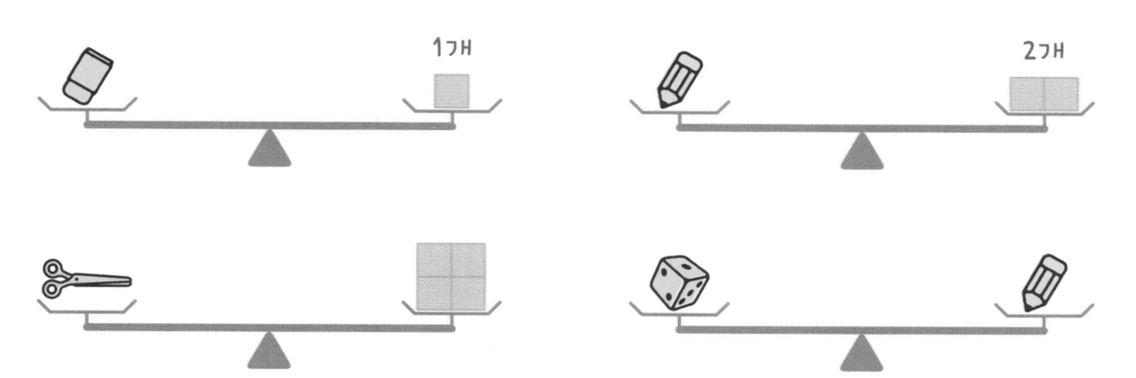

지우개와 연필 중 더 무거운 것은 무엇입니까? 연필

① 가위는 쌓기나무 몇 개와 무게가 같습니까? ______ 개

② 주사위는 쌓기나무 몇 개와 무게가 같습니까? ______ 개

③ 가위와 주사위 중 더 가벼운 것은 무엇입니까? ______

④ 주사위 2개의 무게는 무엇의 무게와 같습니까? ______

확인학습

그림을 보고 밑줄친 곳에 알맞은 말을 써넣으세요.

야구공 풍선 볼링공

① 셋 중 둘째로 가벼운 것은 ____________ 입니다.

② 셋 중 가장 가벼운 것은 ____________ 입니다.

③ 셋 중 가장 무거운 것은 ____________ 입니다.

다음 물음에 답하세요.

④ 호랑이는 사자보다 더 무겁고, 표범은 호랑이보다 더 가볍습니다.

셋 중 가장 무거운 것은 무엇입니까? ____________

⑤ 종이컵은 필통보다 더 가볍고, 꽃병보다 더 가볍습니다.

셋 중 가장 가벼운 것은 무엇입니까? ____________

그림을 보고 무거운 순서대로 이름을 써넣으세요.

⑥

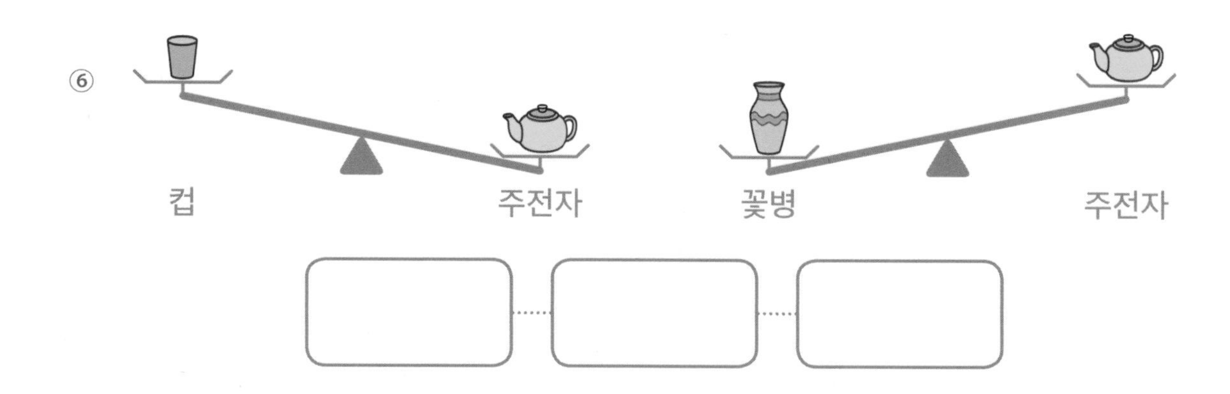

그림을 보고 밑줄친 곳에 알맞은 수나 말을 써넣으세요.

⑦ 바나나는 쌓기나무 ________ 개와 무게가 같습니다.

⑧ 복숭아는 쌓기나무 ________ 개와 무게가 같습니다.

⑨ 둘 중 더 무거운 것은 ________ 입니다.

확인학습

그림을 보고 물음에 답하세요.

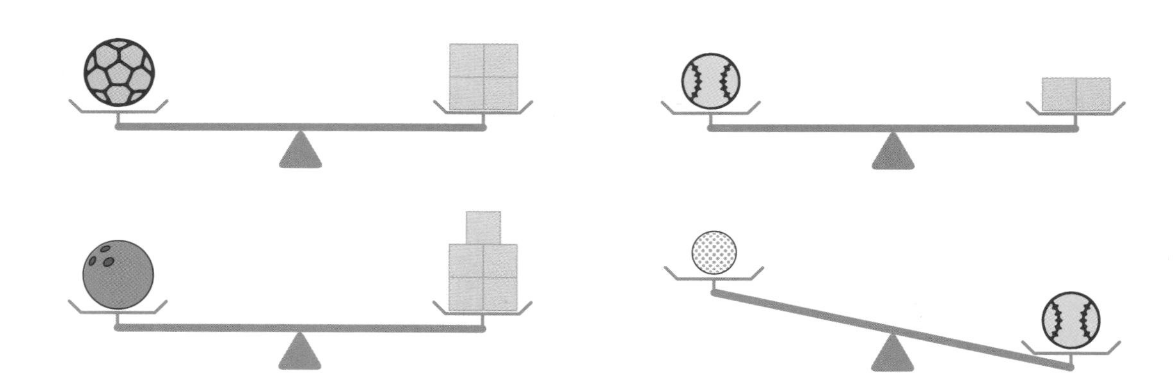

⑩ 축구공과 야구공 중 더 가벼운 것은 무엇입니까? ________

⑪ 볼링공은 쌓기나무 몇 개와 무게가 같습니까? ________ 개

⑫ 야구공 2개는 쌓기나무 몇 개와 무게가 같습니까? ________ 개

⑬ 축구공과 골프공 중 더 무거운 것은 무엇입니까? ________

⑭ 넷 중 둘째로 가벼운 것은 무엇입니까? ________

4주차

넓이 비교

1일 넓습니다, 좁습니다

그림을 보고 알맞은 말에 ○표 하세요.

텔레비전은 공책보다 더 (넓습니다 , 좁습니다).

①

표지판은 삼각김밥보다 더 (넓습니다 , 좁습니다).

②

백 원 동전은 오백 원 동전보다 더 (넓습니다 , 좁습니다).

③

액자는 거울보다 더 (넓습니다 , 좁습니다).

❀ 그림을 보고 밑줄친 곳에 알맞은 말을 써넣으세요.

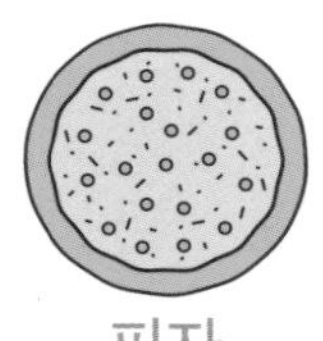
피자

쿠키

__피자__ 는 __쿠키__ 보다 더 넓습니다.

__쿠키__ 는 __피자__ 보다 더 좁습니다.

①

액자

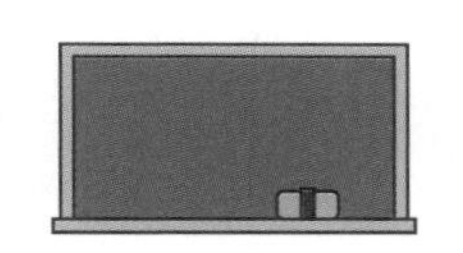
칠판

________ 은 ________ 보다 더 넓습니다.

________ 는 ________ 보다 더 좁습니다.

②

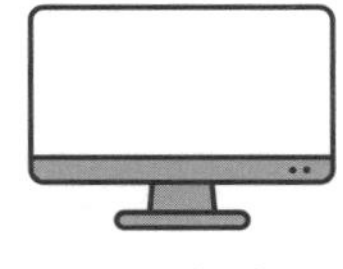
모니터

휴대폰

________ 는 ________ 보다 더 넓습니다.

________ 은 ________ 보다 더 좁습니다.

2일 눈으로 넓이 비교

그림을 보고 밑줄친 곳에 알맞은 말을 써넣으세요.

이불

거울

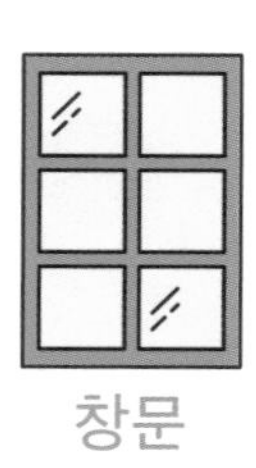
창문

셋 중 가장 넓은 것은 ___이불___ 입니다.

① 셋 중 둘째로 넓은 것은 ________ 입니다.

② 셋 중 가장 좁은 것은 ________ 입니다.

쿠키

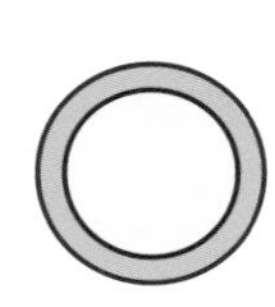
접시

시계

③ 셋 중 가장 좁은 것은 ________ 입니다.

④ 셋 중 둘째로 좁은 것은 ________ 입니다.

⑤ 셋 중 가장 넓은 것은 ________ 입니다.

여러 가지 넓이의 색종이가 있습니다. 물음에 답하세요.

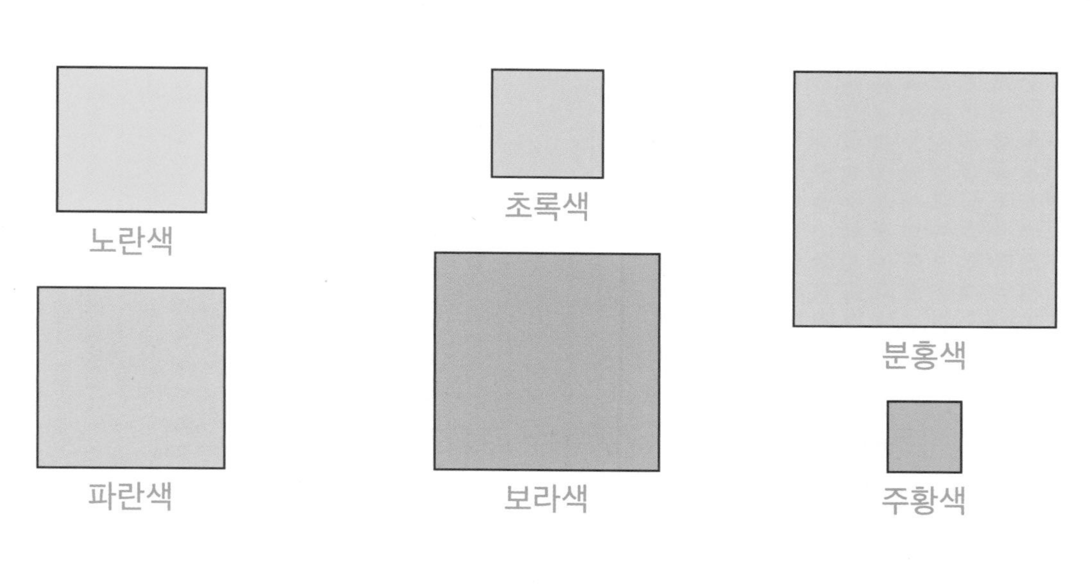

가장 좁은 색종이는 무슨 색입니까? 주황색

① 둘째로 넓은 색종이는 무슨 색입니까? ________

② 노란색보다 넓은 것은 몇 장입니까? ________ 장

③ 주황색보다 넓고 노란색보다 좁은 것은 무슨 색입니까? ________

3일 넓이 순서 추리

다음 물음에 답하세요.

거울은 창문보다 더 좁고, 달력은 창문보다 더 좁습니다.

셋 중 가장 넓은 것은 무엇입니까? 창문

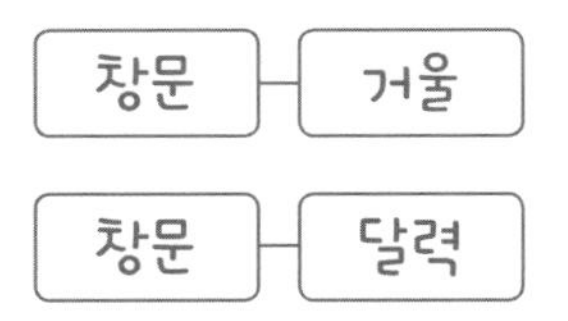

① 공원은 운동장보다 더 넓고, 운동장은 주차장보다 더 좁습니다.

셋 중 가장 좁은 것은 무엇입니까? ______

② 쥰은 시리보다 이마가 더 좁고, 포린이는 쥰보다 이마가 더 넓습니다.

셋 중 이마가 가장 좁은 것은 누구입니까? ______

③ 딸기밭은 수박밭보다 더 넓고, 감자밭보다 더 넓습니다.

셋 중 가장 넓은 것은 무엇입니까? ______

넓은 순서대로 이름을 써넣고, 물음에 맞게 색칠하세요.

이불은 커튼보다 더 좁고, 담요보다 더 넓습니다.

셋 중 가장 좁은 것은 무엇입니까?

① 고추밭은 배추밭보다 더 넓고, 배추밭은 당근밭보다 더 넓습니다.

셋 중 둘째로 좁은 것은 무엇입니까?

② 화장실은 안방보다 더 좁고, 거실은 안방보다 더 넓습니다.

셋 중 가장 넓은 것은 무엇입니까?

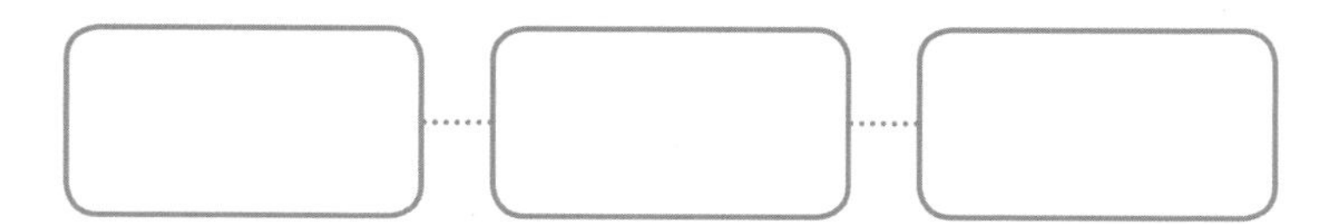

③ 공책은 수첩보다 더 넓고, 동화책보다 더 좁습니다.

셋 중 둘째로 넓은 것은 무엇입니까?

4일 겹쳐서 비교하기

색종이 2장을 겹쳤습니다. 밑줄친 곳에 알맞은 말을 써넣으세요.

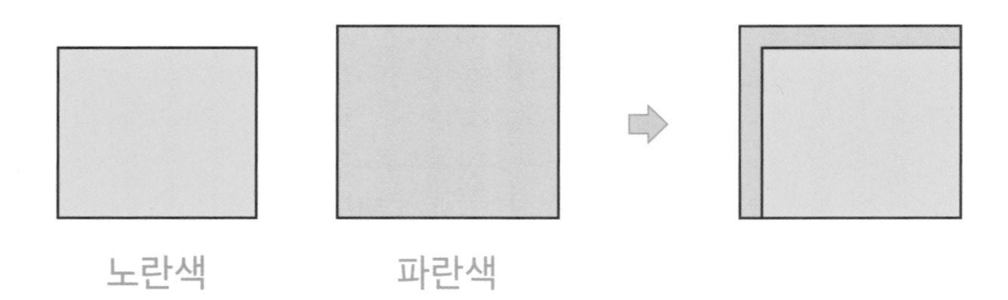

노란색 색종이는 파란색 색종이보다 더 좁습니다.

①

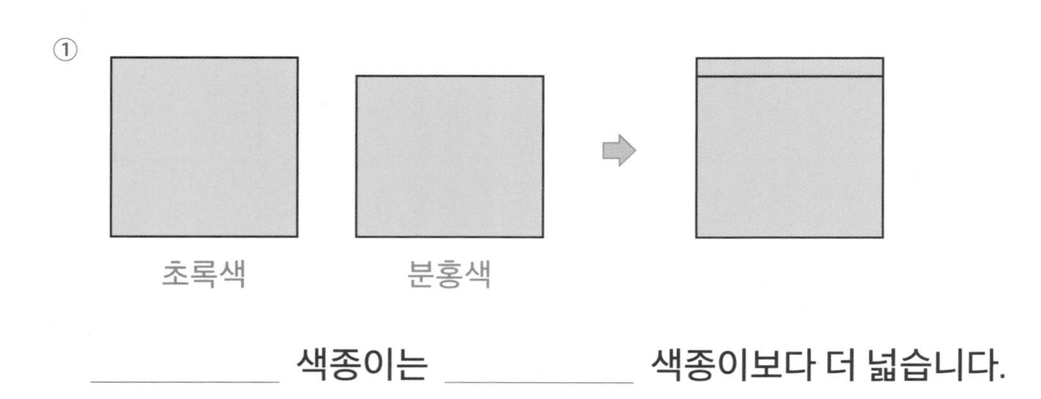

_______ 색종이는 _______ 색종이보다 더 넓습니다.

②

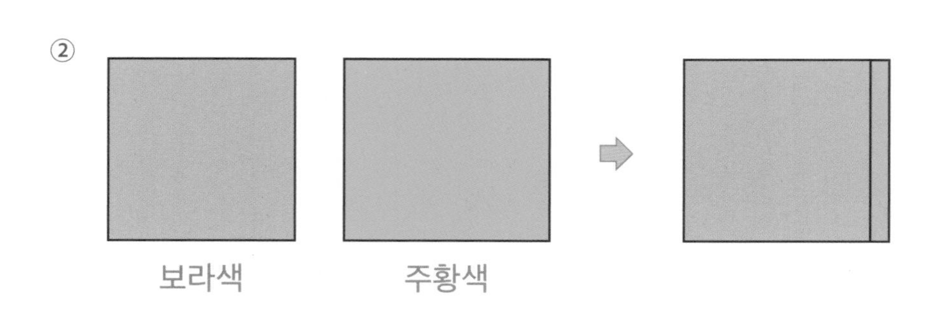

_______ 색종이는 _______ 색종이보다 더 넓습니다.

두 모양을 겹쳤을 때
남는 것이 있는 쪽이
더 넓은 모양이야.

색종이 2장을 겹쳤습니다. 넓은 순서대로 색깔을 써넣으세요.

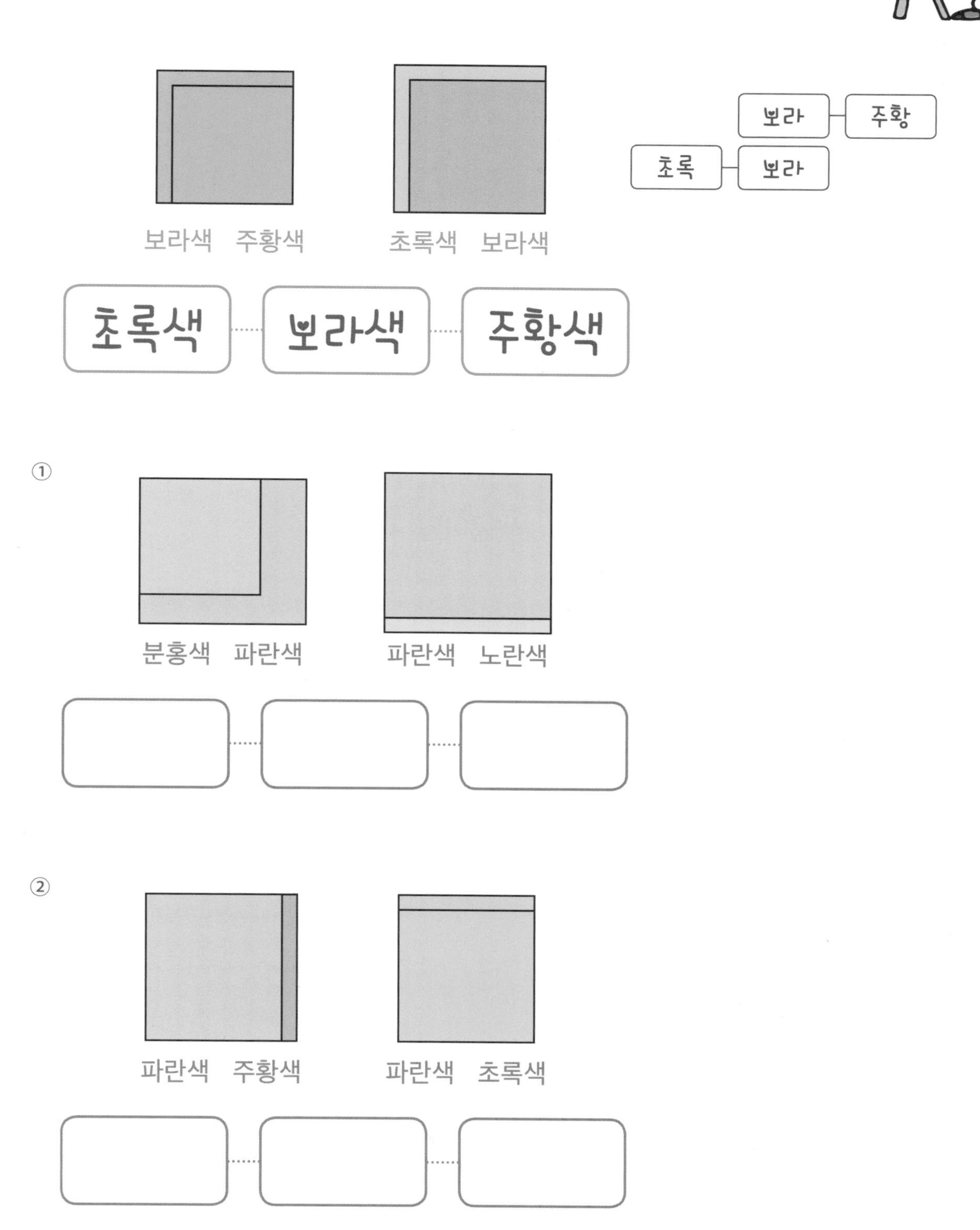

5일 모눈 단위넓이

그림을 보고 밑줄친 곳에 알맞은 수나 말을 써넣으세요.

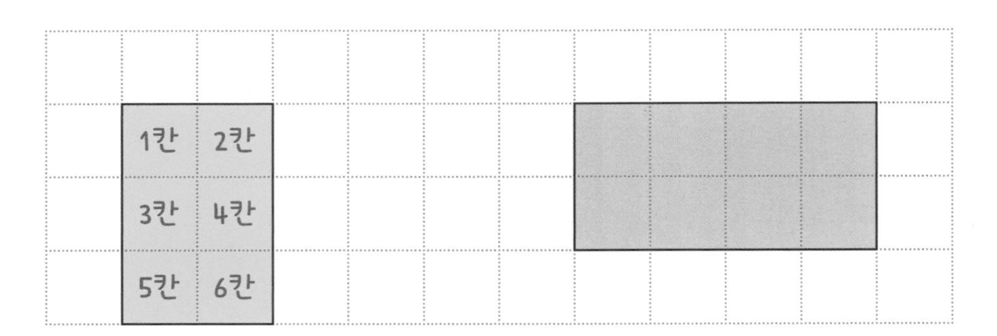

노란색 색종이는 모눈 ___6___ 칸과 넓이가 같습니다.

① 파란색 색종이는 모눈 ________ 칸과 넓이가 같습니다.

② 둘 중 더 넓은 것은 ________ 색종이입니다.

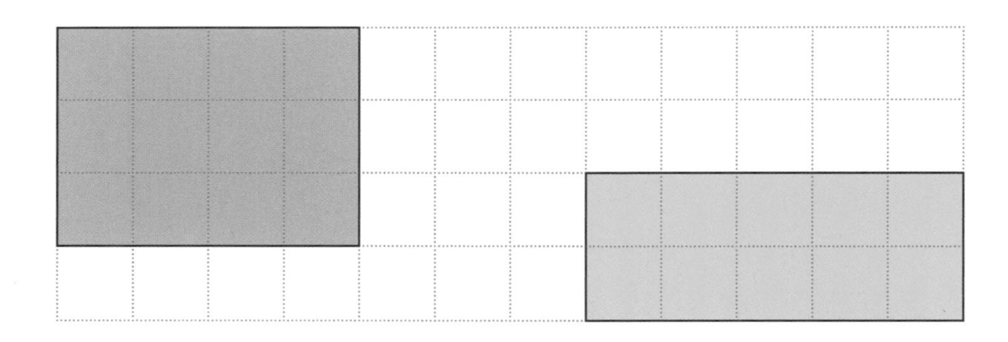

③ 보라색 색종이는 모눈 ________ 칸과 넓이가 같습니다.

④ 분홍색 색종이는 모눈 ________ 칸과 넓이가 같습니다.

⑤ 둘 중 더 좁은 것은 ________ 색종이입니다.

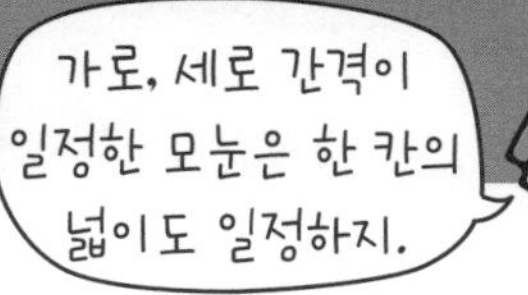

❀ 채소밭 그림을 보고 물음에 답하세요.

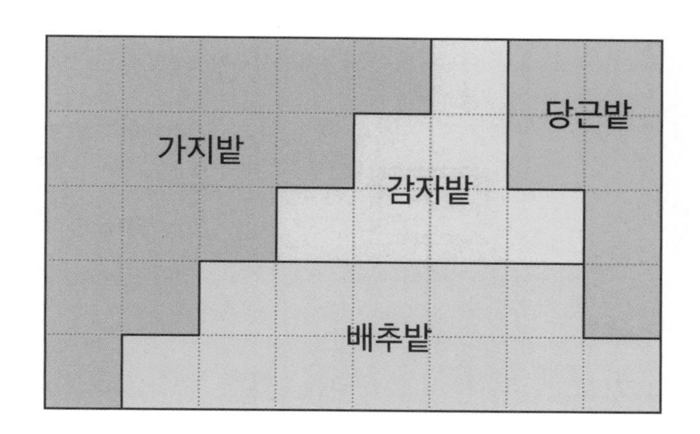

감자밭은 모눈 몇 칸과 넓이가 같습니까? 7 칸

① 당근밭과 배추밭 중 더 넓은 밭은 어디입니까? ________

② 넷 중 가장 넓은 밭은 어디입니까? ________

③ 당근밭보다 넓고, 배추밭보다 좁은 밭은 어디입니까? ________

④ 가지밭은 당근밭보다 모눈 몇 칸만큼 더 넓습니까? ________ 칸

확인학습

그림을 보고 밑줄친 곳에 알맞은 말을 써넣으세요.

① 셋 중 가장 좁은 것은 ________ 입니다.

② 셋 중 둘째로 넓은 것은 ________ 입니다.

넓은 순서대로 이름을 써넣고, 물음에 맞게 색칠하세요.

③ 감자밭은 당근밭보다 더 좁고, 양파밭은 감자밭보다 더 좁습니다.
셋 중 둘째로 좁은 것은 무엇입니까?

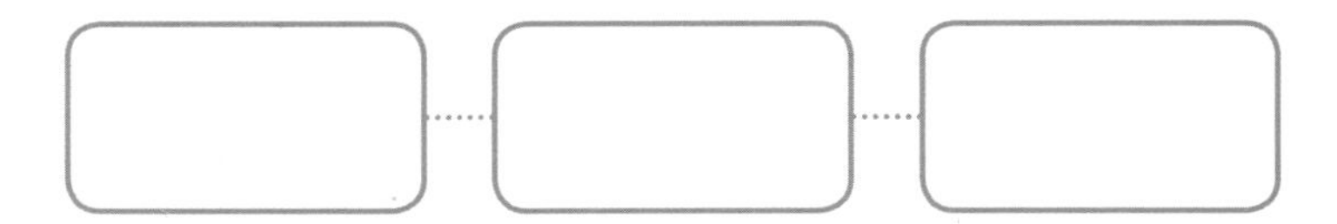

④ 운동장은 수영장보다 더 넓고, 광장보다 더 좁습니다.
셋 중 가장 넓은 것은 무엇입니까?

색종이 2장을 겹쳤습니다. 넓은 순서대로 색깔을 써넣으세요.

⑤

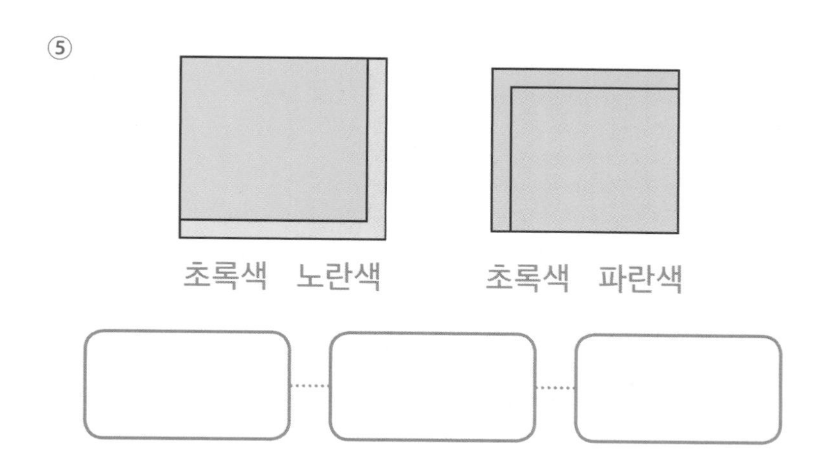

그림을 보고 밑줄친 곳에 알맞은 수나 말을 써넣으세요.

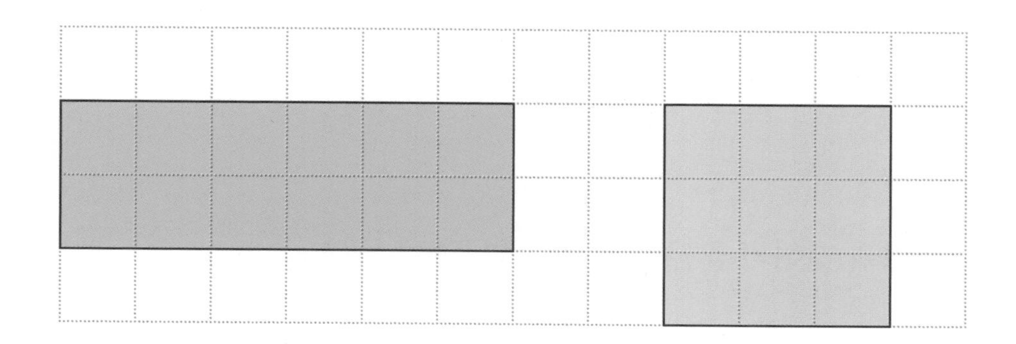

⑥ 주황색 색종이는 모눈 ________ 칸과 넓이가 같습니다.

⑦ 초록색 색종이는 모눈 ________ 칸과 넓이가 같습니다.

⑧ 둘 중 더 좁은 것은 ________ 색종이입니다.

확인학습

네 사람이 나누어 가진 땅을 보고 물음에 답하세요.

준희
코라
유미
지니

⑨ 코라의 땅은 모눈 몇 칸과 넓이가 같습니까? ________ 칸

⑩ 유미보다 더 넓은 땅을 가진 사람은 누구입니까? ________

⑪ 지니의 땅과 넓이가 같은 땅은 누구의 땅입니까? ________

⑫ 넷 중 가장 좁은 땅을 가진 사람은 누구입니까? ________

⑬ 코라의 땅은 준희의 땅보다 모눈 몇 칸만큼 더 넓습니까? ________ 칸

진단평가

진단평가에는 앞에서 학습한 4주차의 문장제 활동이 순서대로 나옵니다. 잘못 푼 문제가 있으면 몇 주차인지 확인하여 반드시 한 번 더 복습해 봅니다.

1주차	3주차
2주차	4주차

진단평가

주어진 두 낱말을 밑줄친 곳에 알맞게 넣어보세요.

①
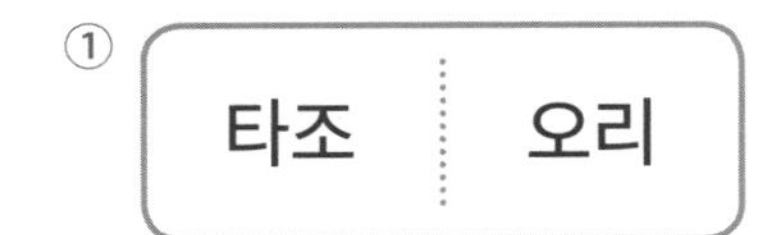

________ 는 ________ 보다 키가 더 큽니다.

②
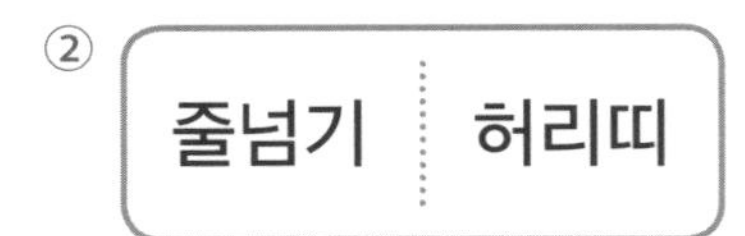

________ 는 ________ 보다 길이가 더 짧습니다.

굵은 선을 따라 집으로 갑니다. 알맞은 수나 말을 써넣으세요.

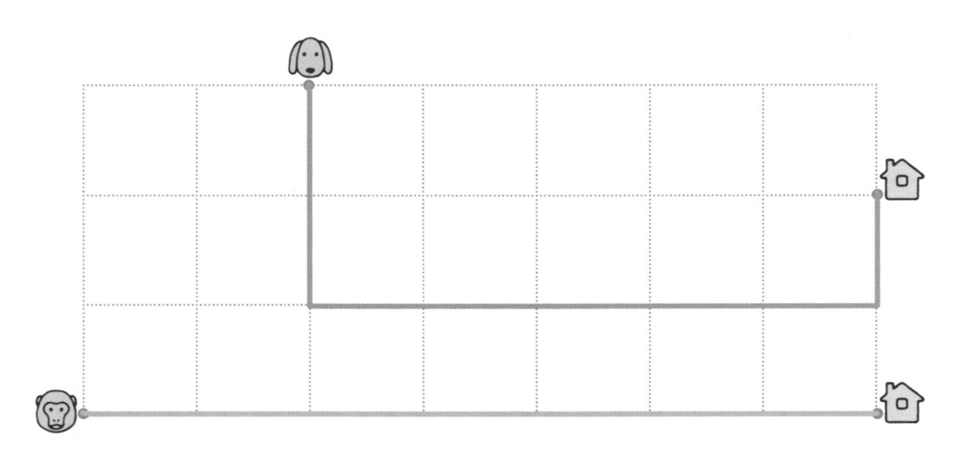

③ 집까지의 거리는 강아지가 ________ 칸, 원숭이가 ________ 칸입니다.

④ 둘 중 집까지의 거리가 더 먼 동물은 ________ 입니다.

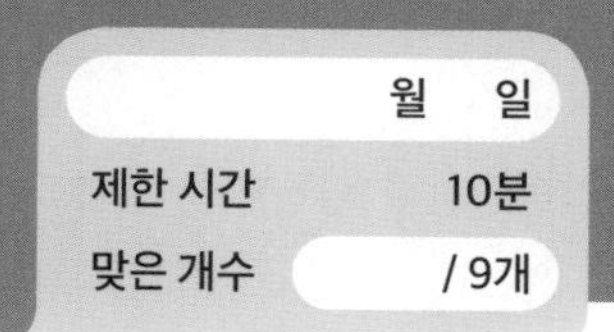

✎ 그림을 보고 밑줄친 곳에 알맞은 수나 말을 써넣으세요.

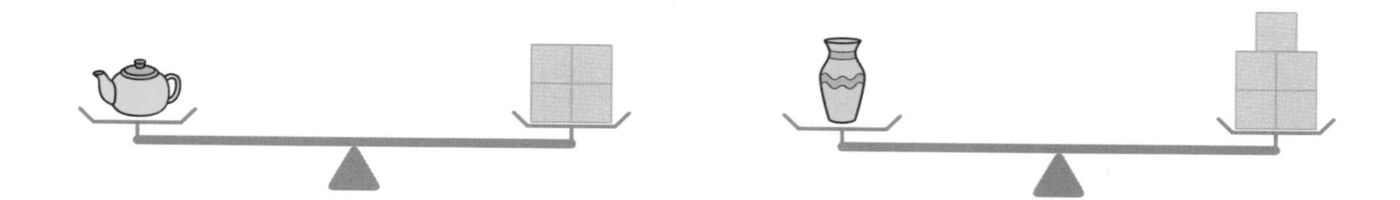

⑤ 주전자는 쌓기나무 ________ 개와 무게가 같습니다.

⑥ 꽃병은 쌓기나무 ________ 개와 무게가 같습니다.

⑦ 둘 중 더 가벼운 것은 ________ 입니다.

✎ 다음 물음에 답하세요.

⑧ 담요는 이불보다 더 넓고, 커튼은 이불보다 더 넓습니다.

셋 중 가장 좁은 것은 무엇입니까? ________

⑨ 운동장은 교실보다 더 넓고, 강당은 운동장보다 더 좁습니다.

셋 중 가장 넓은 것은 무엇입니까? ________

진단평가

✎ 길이 표현이 올바른 것은 ○표, 틀린 것은 ×표 하세요.

① 줄넘기는 우산보다 길이가 더 높습니다. ☐

② 기린은 코끼리보다 키가 더 큽니다. ☐

③ 철봉은 가로등보다 높이가 더 작습니다. ☐

✎ 긴 순서대로 이름을 써넣고, 물음에 맞게 색칠하세요.

④ 연필꽂이는 컵보다 더 높고, 꽃병보다 더 낮습니다.

셋 중 둘째로 높은 것은 무엇입니까?

⑤ 미루는 아이린보다 키가 더 크고, 켄지는 아이린보다 키가 더 작습니다.

셋 중 키가 가장 작은 사람은 누구입니까?

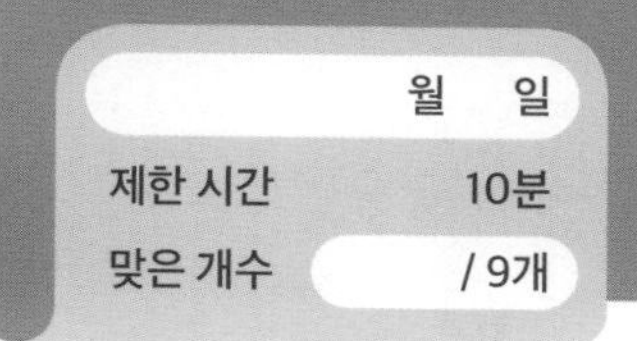

✎ 그림을 보고 무거운 순서대로 이름을 써넣으세요.

⑥

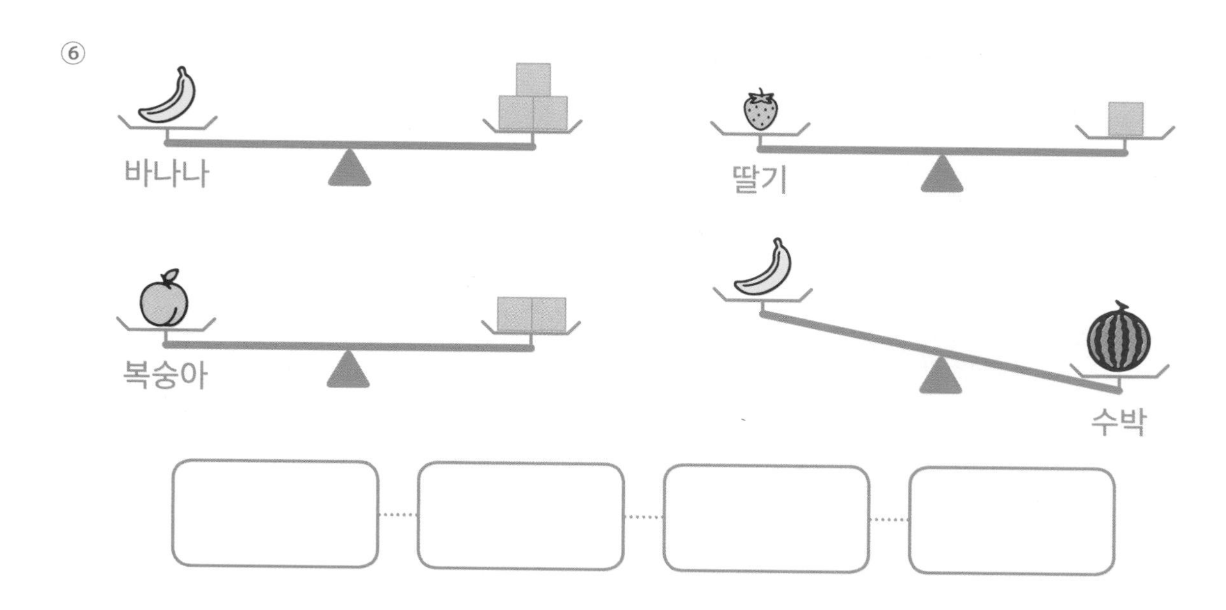

✎ 그림을 보고 밑줄친 곳에 알맞은 수나 말을 써넣으세요.

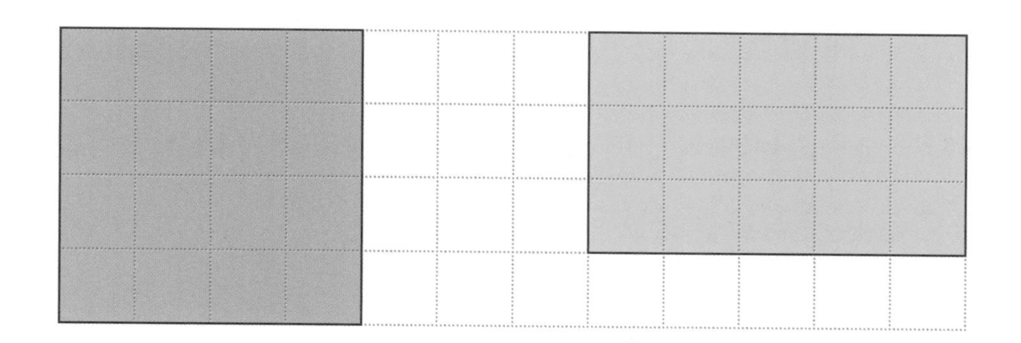

⑦ 보라색 색종이는 모눈 ________ 칸과 넓이가 같습니다.

⑧ 분홍색 색종이는 모눈 ________ 칸과 넓이가 같습니다.

⑨ 둘 중 더 넓은 것은 ________ 색종이입니다.

진단평가

그림을 보고 물음에 답하세요.

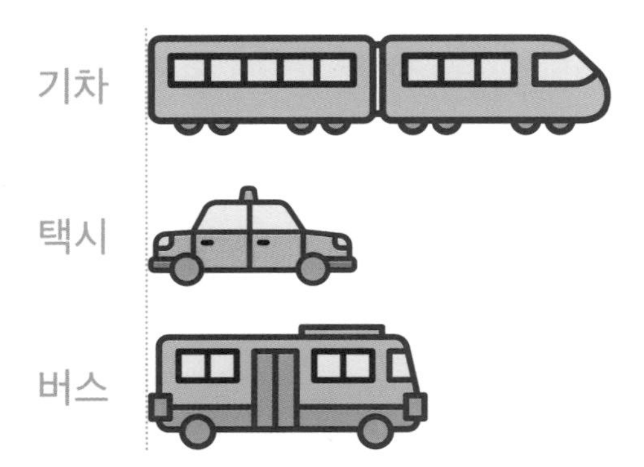

① 셋 중에서 둘째로 짧은 것은 무엇입니까? ____________

② 셋 중에서 가장 긴 것은 무엇입니까? ____________

다음 물음에 답하세요.

③ 침팬지는 고릴라보다 키가 더 작고, 오랑우탄보다 키가 더 작습니다.
셋 중 가장 키가 작은 동물은 무엇입니까? ____________

④ 사마귀는 여치보다 더 길고, 메뚜기보다 더 깁니다.
여치는 메뚜기보다 더 짧습니다.
셋 중 둘째로 긴 곤충은 무엇입니까? ____________

여러 가지 무게의 나무 도막이 있습니다. 물음에 답하세요.

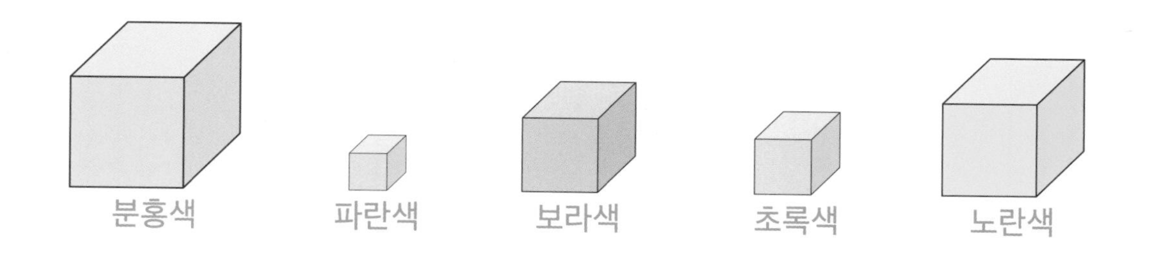

⑤ 둘째로 가벼운 나무 도막은 무슨 색입니까? ________

⑥ 분홍색보다 더 가벼운 나무 도막은 몇 개입니까? ________ 개

⑦ 보라색보다 무겁고 분홍색보다 가벼운 것은 무슨 색입니까? ________

색종이 2장을 겹쳤습니다. 넓은 순서대로 색깔을 써넣으세요.

⑧

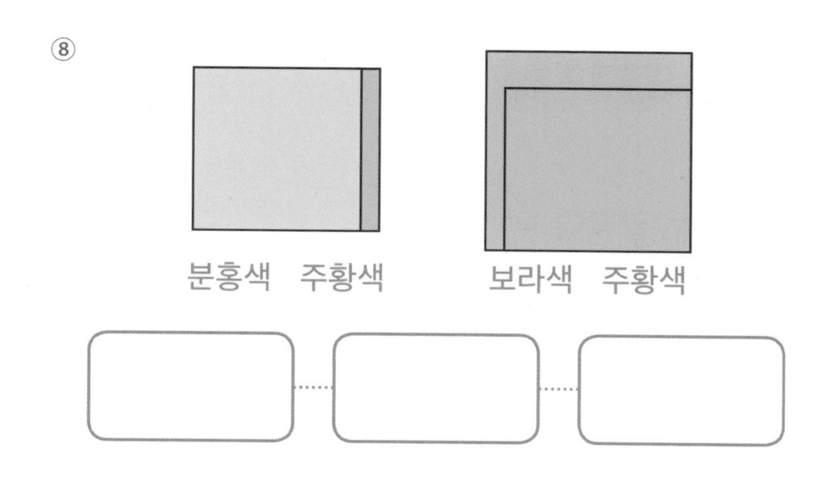

진단평가

주황색보다 길고 파란색보다 짧은 막대를 찾아 색칠해 보세요.

①

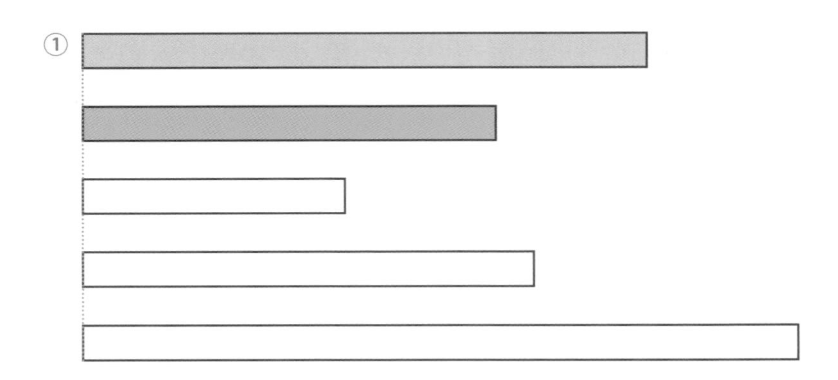

밑줄친 곳에 알맞은 수나 말을 써넣으세요.

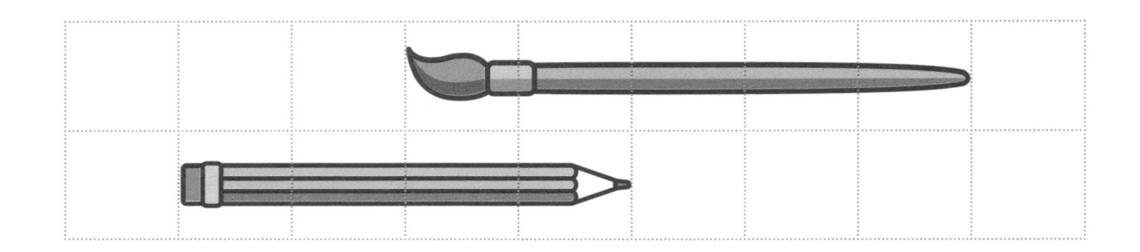

② 붓의 길이는 눈금 ________ 칸입니다.

③ 연필의 길이는 눈금 ________ 칸입니다.

④ 둘 중 더 긴 것은 __________ 입니다.

✎ 무거운 순서대로 이름을 써넣고, 물음에 맞게 색칠하세요.

⑤ 사과는 배보다 더 가볍고, 감은 사과보다 더 가볍습니다.
셋 중 가장 무거운 것은 무엇입니까?

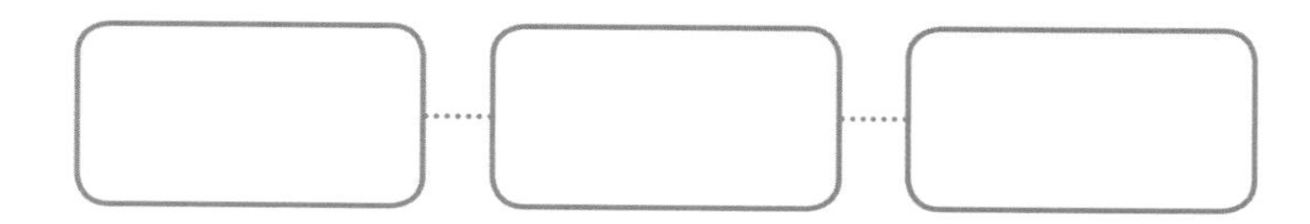

⑥ 말은 돼지보다 더 무겁고, 소보다 더 가볍습니다.
셋 중 둘째로 가벼운 것은 무엇입니까?

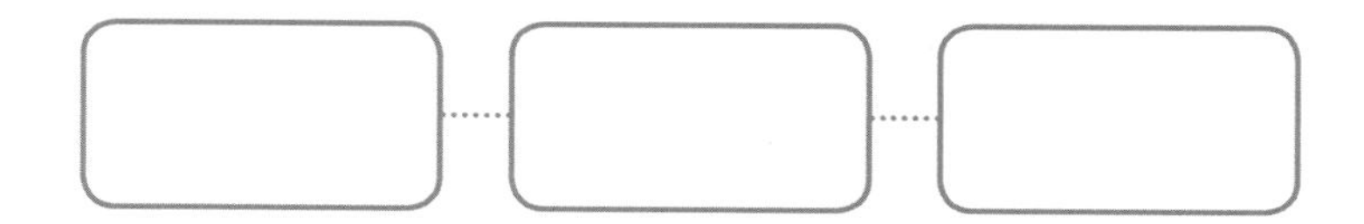

✎ 여러 가지 넓이의 색종이가 있습니다. 물음에 답하세요.

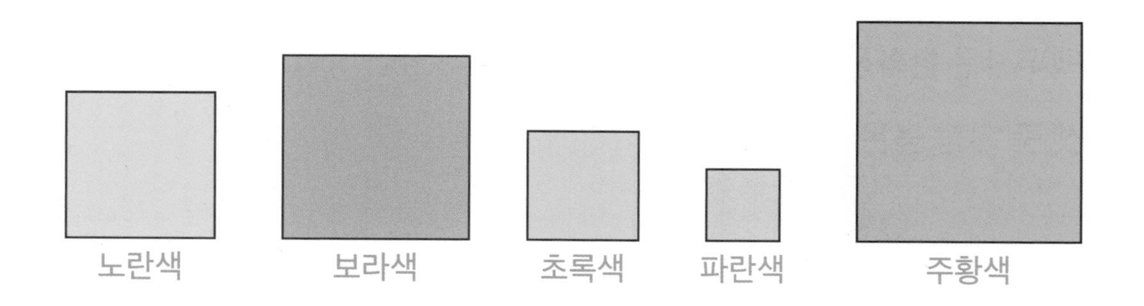

⑦ 초록색보다 더 좁은 것은 몇 장입니까? ______ 장

⑧ 노란색보다 넓고, 주황색보다 좁은 것은 무슨 색깔입니까? ______

진단평가

✎ 그림을 보고 물음에 답하세요.

주황색
노란색
초록색
파란색
보라색

① 둘째로 긴 막대는 무슨 색입니까? ______

② 노란색 막대보다 길이가 더 긴 것은 몇 개입니까? ______ 개

✎ 다음 물음에 답하세요.

③ 백두산은 한라산보다 더 높고, 지리산보다 더 높습니다.
셋 중 가장 높은 산은 무엇입니까? ______

④ 라라는 씨씨보다 키가 더 작고, 씨씨는 쥬쥬보다 키가 더 큽니다.
쥬쥬는 라라보다 키가 더 작습니다.
셋 중 키가 가장 작은 사람은 누구입니까? ______

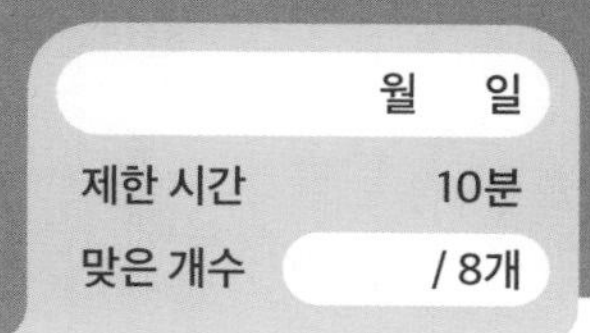

✎ 그림을 보고 무거운 순서대로 이름을 써넣으세요.

⑤

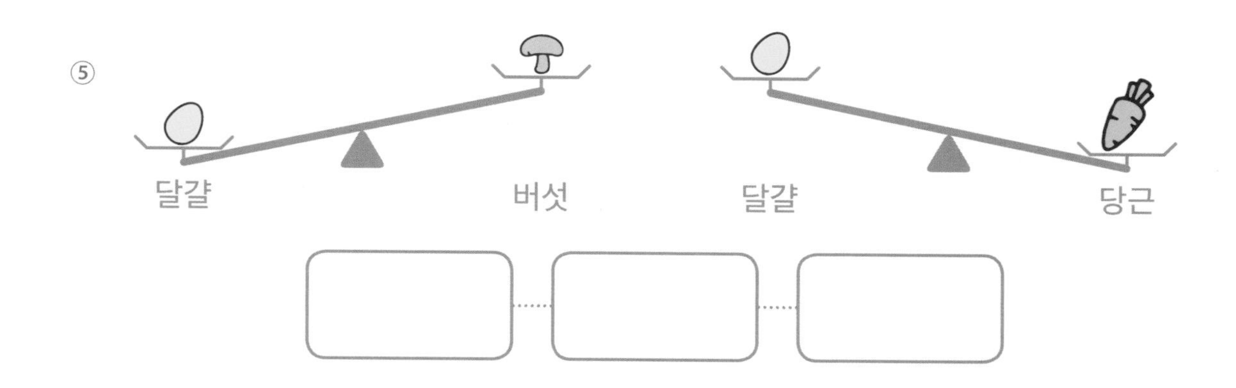

✎ 채소밭 그림을 보고 물음에 답하세요.

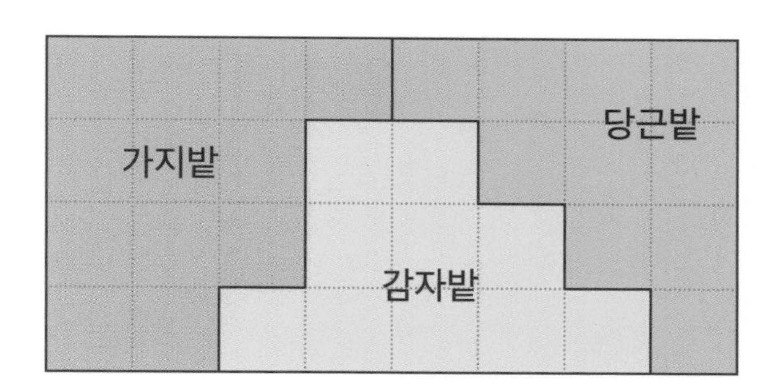

⑥ 감자밭은 모눈 몇 칸과 넓이가 같습니까? ______ 칸

⑦ 가장 넓은 밭은 어디입니까? ______

⑧ 가지밭은 당근밭보다 모눈 몇 칸만큼 더 넓습니까? ______ 칸

Memo

하루 10분 서술형/문장제 학습지

씨투엠

수학 독해

정답

P2 비교하기

6세~8세

정답

1주 길이 비교(1)

P 06 ~ 07

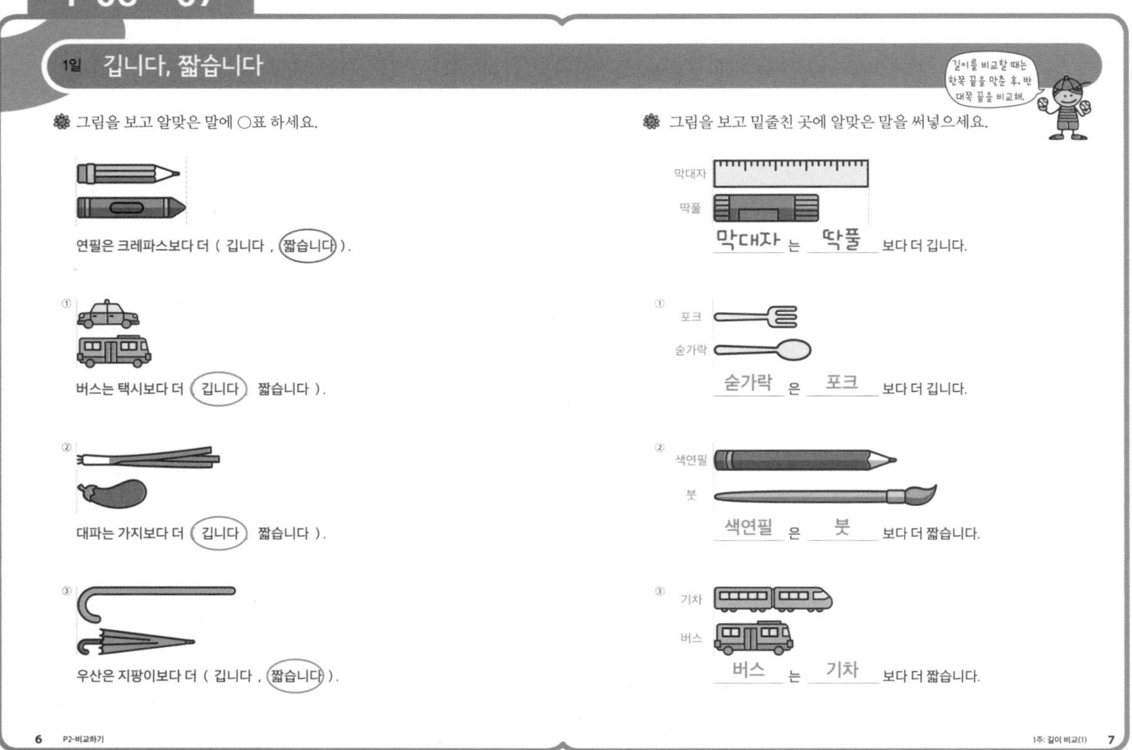

1일 길니다, 짧습니다

길이를 비교할 때는 한쪽 끝을 맞춘 후, 반대쪽 끝을 비교해.

그림을 보고 알맞은 말에 ○표 하세요.

연필은 크레파스보다 더 (깁니다 , (짧습니다)).

① 버스는 택시보다 더 ((깁니다) , 짧습니다).

② 대파는 가지보다 더 ((깁니다) , 짧습니다).

③ 우산은 지팡이보다 더 (깁니다 , (짧습니다)).

그림을 보고 밑줄친 곳에 알맞은 말을 써넣으세요.

막대자 / 딱풀

막대자 는 딱풀 보다 더 깁니다.

① 포크 / 숟가락

숟가락 은 포크 보다 더 깁니다.

② 색연필 / 붓

색연필 은 붓 보다 더 짧습니다.

③ 기차 / 버스

버스 는 기차 보다 더 짧습니다.

6 P2-비교하기 1주: 길이 비교(1) 7

P 08 ~ 09

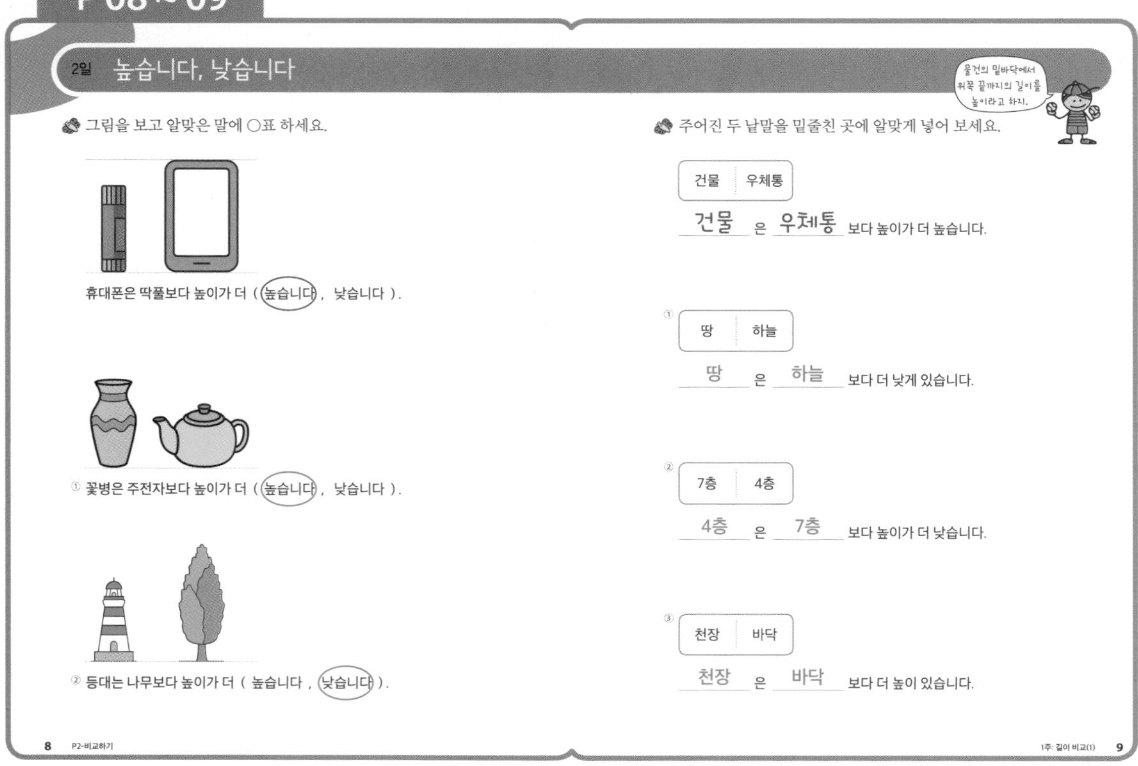

2일 높습니다, 낮습니다

물건의 밑바닥에서 위쪽 끝까지의 길이를 높이라고 하지.

그림을 보고 알맞은 말에 ○표 하세요.

휴대폰은 딱풀보다 높이가 더 ((높습니다) , 낮습니다).

① 꽃병은 주전자보다 높이가 더 ((높습니다) , 낮습니다).

② 등대는 나무보다 높이가 더 (높습니다 , (낮습니다)).

주어진 두 낱말을 밑줄친 곳에 알맞게 넣어 보세요.

건물	우체통

건물 은 우체통 보다 높이가 더 높습니다.

①

땅	하늘

땅 은 하늘 보다 더 낮게 있습니다.

②

7층	4층

4층 은 7층 보다 높이가 더 낮습니다.

③

천장	바닥

천장 은 바닥 보다 더 높이 있습니다.

8 P2-비교하기 1주: 길이 비교(1) 9

P 10~11

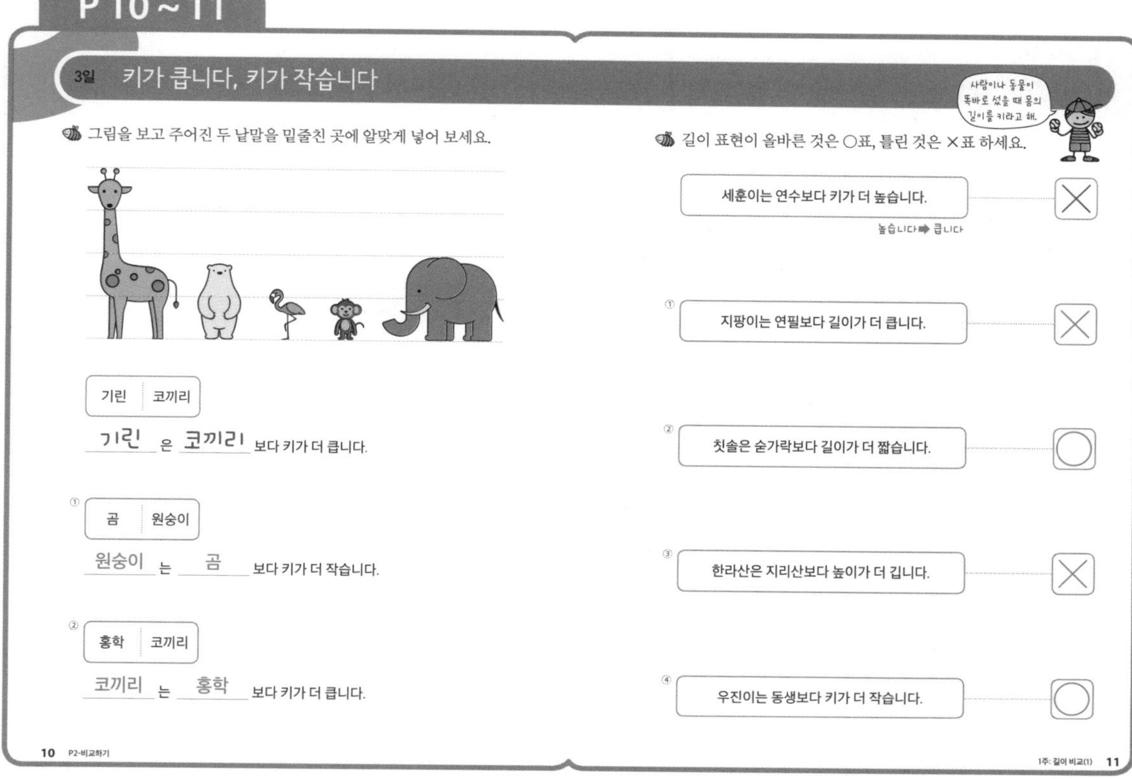
3일 키가 큽니다, 키가 작습니다

사람이나 동물이 똑바로 섰을 때 몸의 길이를 키라고 해.

그림을 보고 주어진 두 낱말을 밑줄친 곳에 알맞게 넣어 보세요.

기린 | 코끼리

기린 은 코끼리 보다 키가 더 큽니다.

① 곰 | 원숭이

원숭이 는 곰 보다 키가 더 작습니다.

② 홍학 | 코끼리

코끼리 는 홍학 보다 키가 더 큽니다.

길이 표현이 올바른 것은 ○표, 틀린 것은 ×표 하세요.

세훈이는 연수보다 키가 더 높습니다. ×
높습니다 ➡ 큽니다

① 지팡이는 연필보다 길이가 더 큽니다. ×

② 칫솔은 숟가락보다 길이가 더 짧습니다. ○

③ 한라산은 지리산보다 높이가 더 깁니다. ×

④ 우진이는 동생보다 키가 더 작습니다. ○

10 P2-비교하기 | 1주: 길이 비교(1) 11

P 12~13

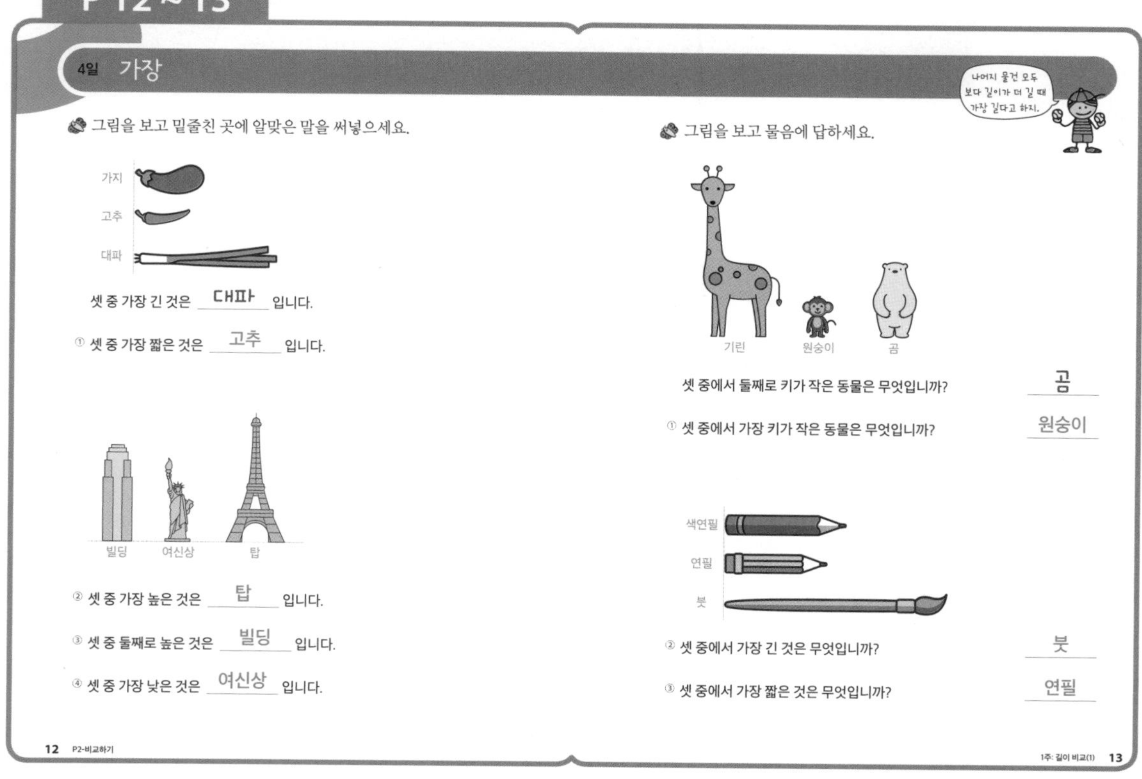
4일 가장

나머지 물건 모두보다 길이가 더 길 때 가장 길다고 하지.

그림을 보고 밑줄친 곳에 알맞은 말을 써넣으세요.

셋 중 가장 긴 것은 대파 입니다.

① 셋 중 가장 짧은 것은 고추 입니다.

② 셋 중 가장 높은 것은 탑 입니다.

③ 셋 중 둘째로 높은 것은 빌딩 입니다.

④ 셋 중 가장 낮은 것은 여신상 입니다.

그림을 보고 물음에 답하세요.

셋 중에서 둘째로 키가 작은 동물은 무엇입니까? 곰

① 셋 중에서 가장 키가 작은 동물은 무엇입니까? 원숭이

② 셋 중에서 가장 긴 것은 무엇입니까? 붓

③ 셋 중에서 가장 짧은 것은 무엇입니까? 연필

12 P2-비교하기 | 1주: 길이 비교(1) 13

P 14 ~ 15

5일 보다 더 길거나 짧은

기준이 되는 막대의 오른쪽 끝에서 위아래로 점선을 그어 봐.

길이 조건에 맞는 막대를 모두 찾아 색칠해 보세요.

분홍색 막대보다 더 깁니다.

① 파란색 막대보다 더 짧습니다.

② 초록색 막대보다 더 길고, 노란색 막대보다 더 짧습니다.

그림을 보고 물음에 답하세요.

주황색
노란색
초록색
파란색
보라색
분홍색

가장 긴 막대는 무슨 색입니까? 노란색

① 둘째로 짧은 막대는 무슨 색입니까? 초록색

② 파란색 막대보다 길이가 더 짧은 것은 몇 개입니까? 2 개

③ 초록색 막대보다 길이가 더 긴 것은 몇 개입니까? 4 개

④ 주황색보다 길고, 노란색보다 짧은 것은 무슨 색입니까? 분홍색

14 P2-비교하기 　　 1주: 길이 비교(1) 15

P 16 ~ 17

확인학습

주어진 두 낱말을 밑줄친 곳에 알맞게 넣어 보세요.

① 보아뱀 | 개구리

개구리 는 보아뱀 보다 몸 길이가 더 짧습니다.

② 냉장고 | 전봇대

전봇대 는 냉장고 보다 높이가 더 높습니다.

길이 표현이 올바른 것은 ○표, 틀린 것은 ×표 하세요.

③ 버스는 기차보다 길이가 더 짧습니다. ○

④ 남대문은 다보탑보다 높이가 더 큽니다. ×

⑤ 연주는 소은이보다 키가 더 낮습니다. ×

그림을 보고 물음에 답하세요.

숟가락
국자
포크

⑥ 셋 중에서 가장 짧은 것은 무엇입니까? 포크

⑦ 셋 중에서 둘째로 긴 것은 무엇입니까? 숟가락

⑧ 셋 중에서 가장 긴 것은 무엇입니까? 국자

보라색 막대보다 길이가 긴 막대를 모두 찾아 색칠하세요.

⑨

16 P2-비교하기 　　 1주: 길이 비교(1) 17

P 18

확인학습

그림을 보고 물음에 답하세요.

⑩ 가장 짧은 막대는 무슨 색입니까? 파란색

⑪ 둘째로 긴 막대는 무슨 색입니까? 보라색

⑫ 주황색 막대보다 길이가 더 짧은 것은 몇 개입니까? 1 개

⑬ 분홍색 막대보다 길이가 더 긴 것은 몇 개입니까? 2 개

⑭ 주황색보다 길고 분홍색보다 짧은 것은 무슨 색입니까? 초록색

18 P2-비교하기

2주 길이 비교(2)

P 20 ~ 21

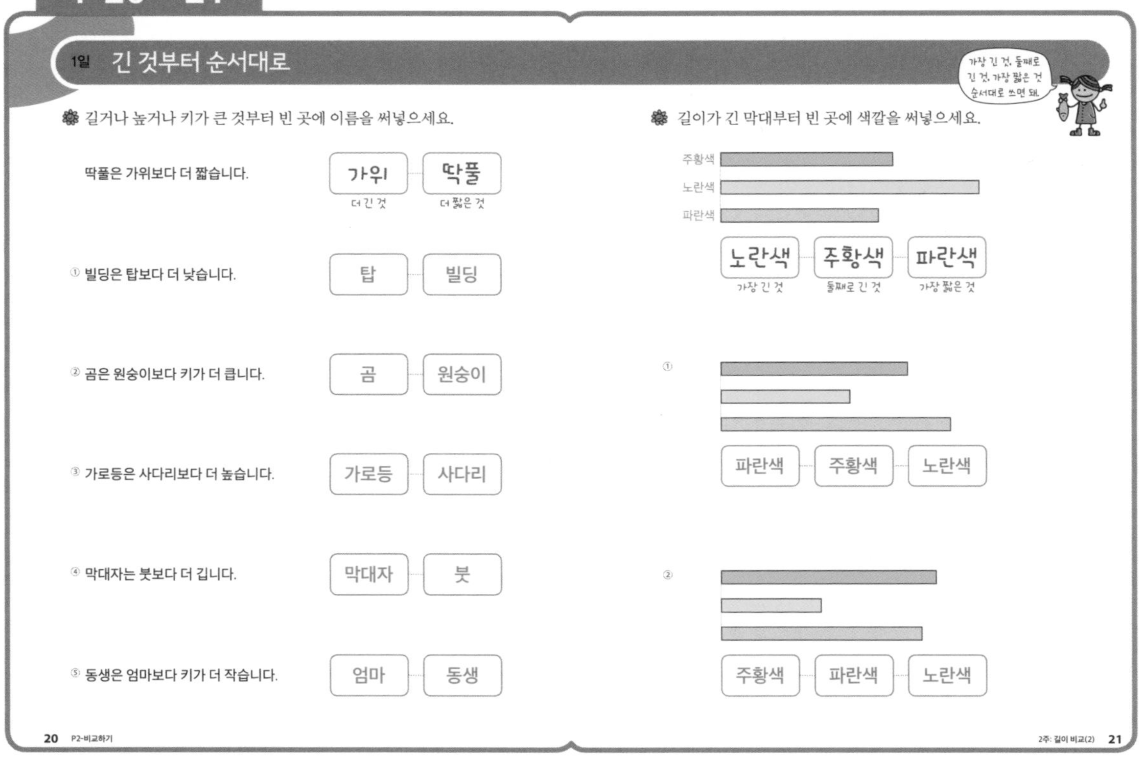

P 22 ~ 23

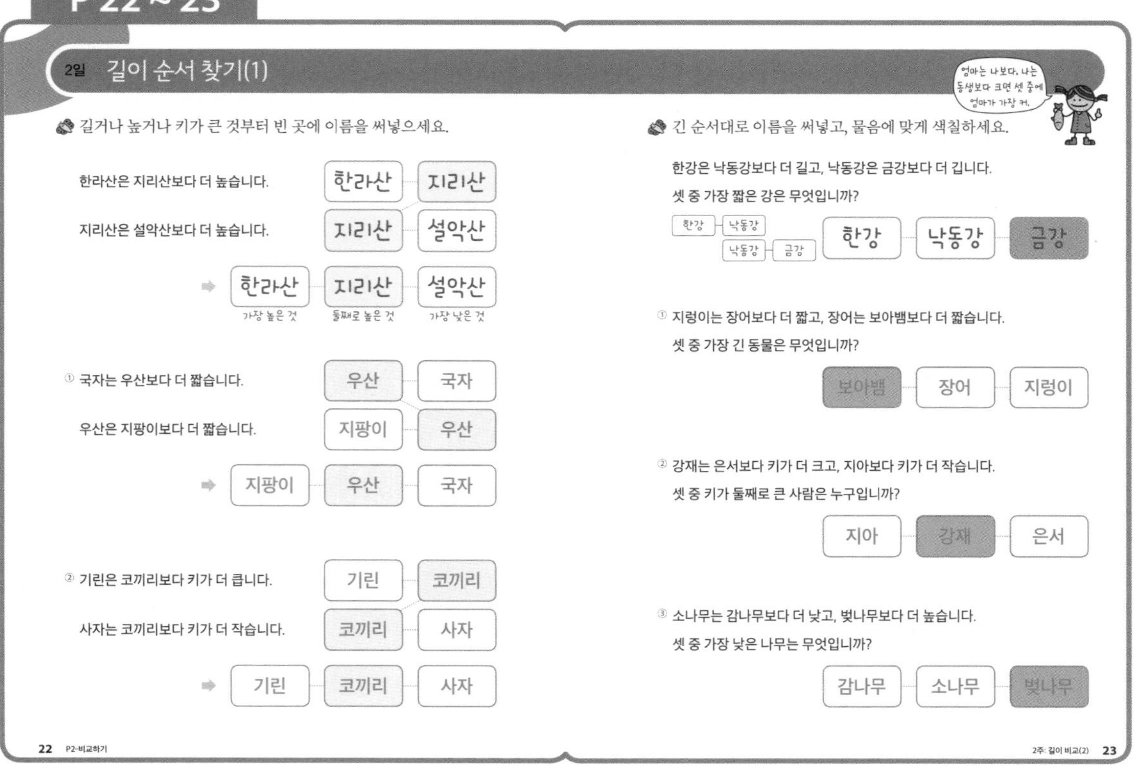

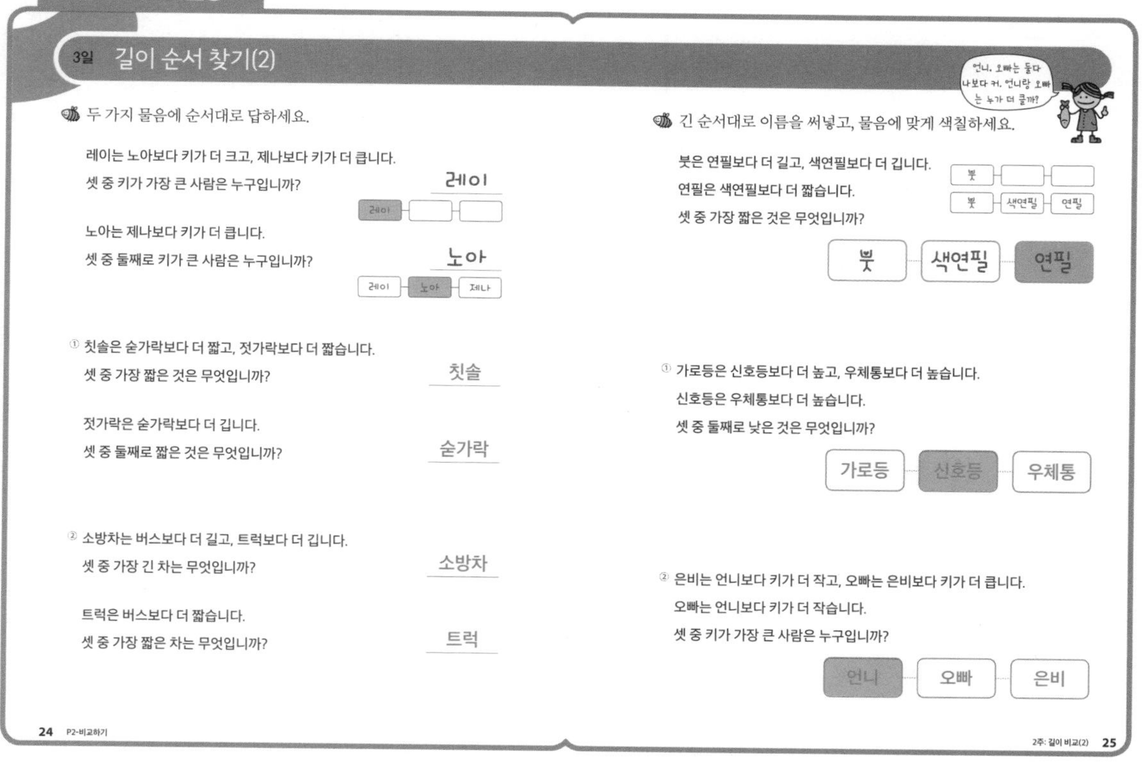

P 24 ~ 25

3일 길이 순서 찾기(2)

두 가지 물음에 순서대로 답하세요.

레이는 노아보다 키가 더 크고, 제나보다 키가 더 큽니다.
셋 중 키가 가장 큰 사람은 누구입니까? 레이

레이 - ( ) - ( )

노아는 제나보다 키가 더 큽니다.
셋 중 둘째로 키가 큰 사람은 누구입니까? 노아

레이 - 노아 - 제나

① 칫솔은 숟가락보다 더 짧고, 젓가락보다 더 짧습니다.
셋 중 가장 짧은 것은 무엇입니까? 칫솔

젓가락은 숟가락보다 더 깁니다.
셋 중 둘째로 짧은 것은 무엇입니까? 숟가락

② 소방차는 버스보다 더 길고, 트럭보다 더 깁니다.
셋 중 가장 긴 차는 무엇입니까? 소방차

트럭은 버스보다 더 짧습니다.
셋 중 가장 짧은 차는 무엇입니까? 트럭

긴 순서대로 이름을 써넣고, 물음에 맞게 색칠하세요.

붓은 연필보다 더 길고, 색연필보다 더 깁니다.
연필은 색연필보다 더 짧습니다.
셋 중 가장 짧은 것은 무엇입니까?

붓 - ( ) - ( )

붓 - 색연필 - 연필

붓 - 색연필 - 연필

① 가로등은 신호등보다 더 높고, 우체통보다 더 높습니다.
신호등은 우체통보다 더 높습니다.
셋 중 둘째로 낮은 것은 무엇입니까?

가로등 - 신호등 - 우체통

② 은비는 언니보다 키가 더 작고, 오빠는 은비보다 키가 더 큽니다.
오빠는 언니보다 키가 더 작습니다.
셋 중 키가 가장 큰 사람은 누구입니까?

언니 - 오빠 - 은비

24 P2-비교하기

2주: 길이 비교(2) 25

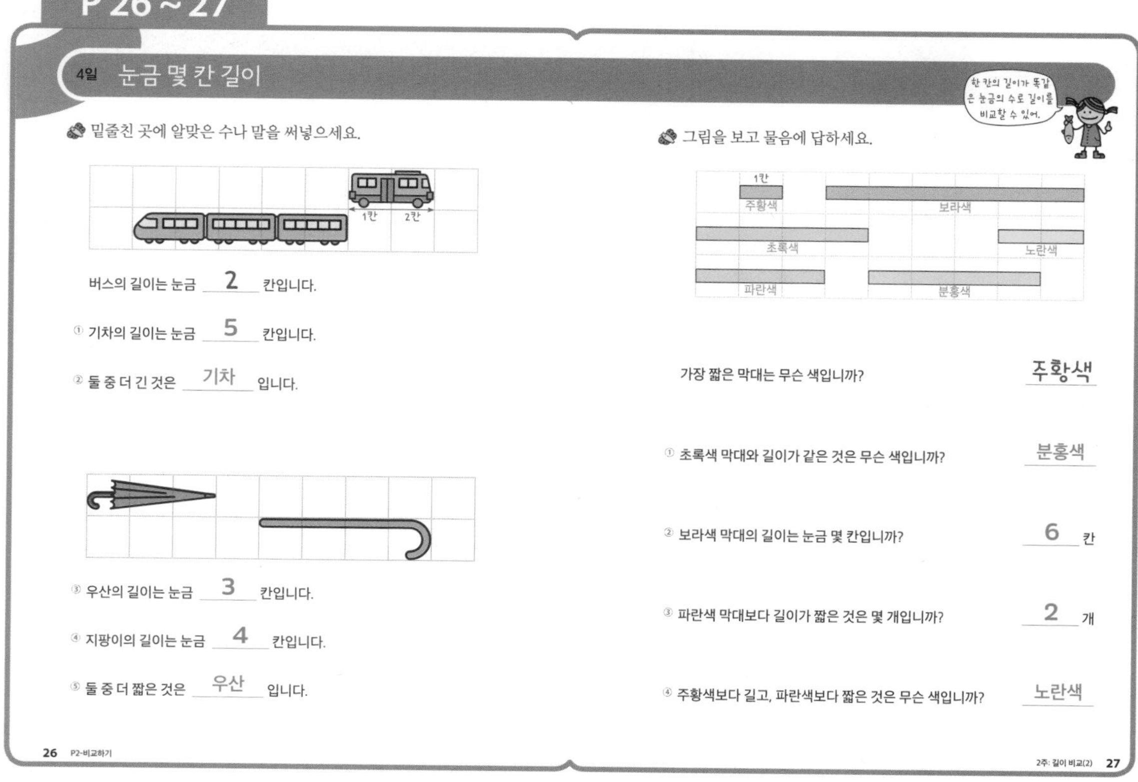

P 26 ~ 27

4일 눈금 몇 칸 길이

밑줄친 곳에 알맞은 수나 말을 써넣으세요.

버스의 길이는 눈금 2 칸입니다.

① 기차의 길이는 눈금 5 칸입니다.

② 둘 중 더 긴 것은 기차 입니다.

③ 우산의 길이는 눈금 3 칸입니다.

④ 지팡이의 길이는 눈금 4 칸입니다.

⑤ 둘 중 더 짧은 것은 우산 입니다.

그림을 보고 물음에 답하세요.

가장 짧은 막대는 무슨 색입니까? 주황색

① 초록색 막대와 길이가 같은 것은 무슨 색입니까? 분홍색

② 보라색 막대의 길이는 눈금 몇 칸입니까? 6 칸

③ 파란색 막대보다 길이가 짧은 것은 몇 개입니까? 2 개

④ 주황색보다 길고, 파란색보다 짧은 것은 무슨 색입니까? 노란색

26 P2-비교하기

2주: 길이 비교(2) 27

P 28 ~ 29

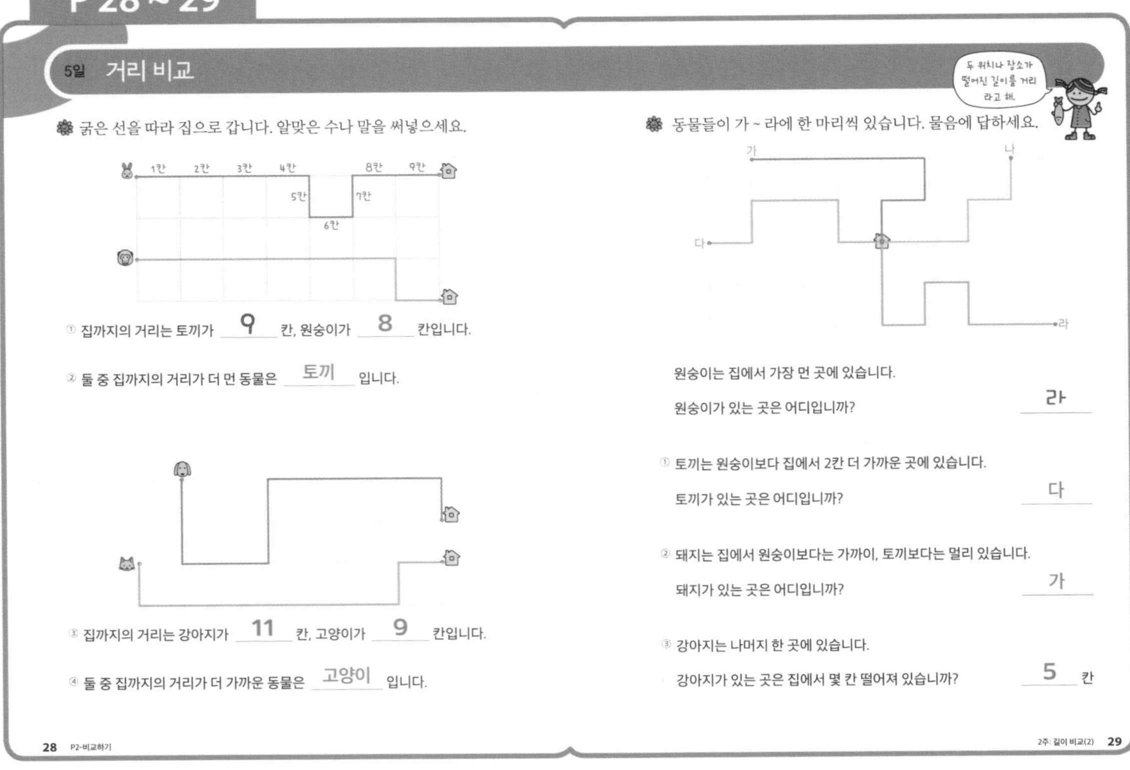

5일 거리 비교

굵은 선을 따라 집으로 갑니다. 알맞은 수나 말을 써넣으세요.

① 집까지의 거리는 토끼가 9 칸, 원숭이가 8 칸입니다.

② 둘 중 집까지의 거리가 더 먼 동물은 토끼 입니다.

③ 집까지의 거리는 강아지가 11 칸, 고양이가 9 칸입니다.

④ 둘 중 집까지의 거리가 더 가까운 동물은 고양이 입니다.

동물들이 가 ~ 라에 한 마리씩 있습니다. 물음에 답하세요.

두 위치나 장소가 떨어진 길이를 거리라고 해.

원숭이는 집에서 가장 먼 곳에 있습니다. 원숭이가 있는 곳은 어디입니까? 라

① 토끼는 원숭이보다 집에서 2칸 더 가까운 곳에 있습니다. 토끼가 있는 곳은 어디입니까? 다

② 돼지는 집에서 원숭이보다는 가까이, 토끼보다는 멀리 있습니다. 돼지가 있는 곳은 어디입니까? 가

③ 강아지는 나머지 한 곳에 있습니다. 강아지가 있는 곳은 집에서 몇 칸 떨어져 있습니까? 5 칸

28 P2-비교하기 / 2주: 길이 비교(2) 29

P 30 ~ 31

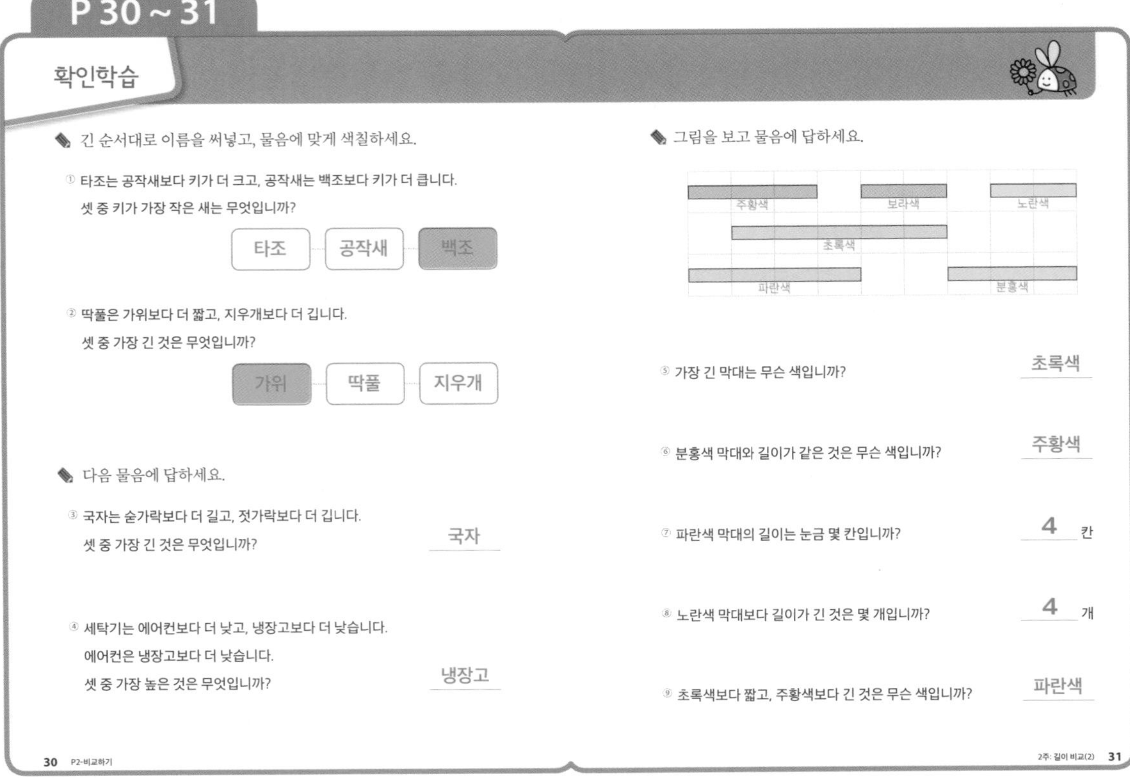

확인학습

긴 순서대로 이름을 써넣고, 물음에 맞게 색칠하세요.

① 타조는 공작새보다 키가 더 크고, 공작새는 백조보다 키가 더 큽니다. 셋 중 키가 가장 작은 새는 무엇입니까?

타조 – 공작새 – 백조

② 딱풀은 가위보다 더 짧고, 지우개보다 더 깁니다. 셋 중 가장 긴 것은 무엇입니까?

가위 – 딱풀 – 지우개

다음 물음에 답하세요.

③ 국자는 숟가락보다 더 길고, 젓가락보다 더 깁니다. 셋 중 가장 긴 것은 무엇입니까? 국자

④ 세탁기는 에어컨보다 더 낮고, 냉장고보다 더 낮습니다. 에어컨은 냉장고보다 더 낮습니다. 셋 중 가장 높은 것은 무엇입니까? 냉장고

그림을 보고 물음에 답하세요.

⑤ 가장 긴 막대는 무슨 색입니까? 초록색

⑥ 분홍색 막대와 길이가 같은 것은 무슨 색입니까? 주황색

⑦ 파란색 막대의 길이는 눈금 몇 칸입니까? 4 칸

⑧ 노란색 막대보다 길이가 긴 것은 몇 개입니까? 4 개

⑨ 초록색보다 짧고, 주황색보다 긴 것은 무슨 색입니까? 파란색

30 P2-비교하기 / 2주: 길이 비교(2) 31

P 32

확인학습

동물들이 가 ~ 라에 한 마리씩 있습니다. 물음에 답하세요.

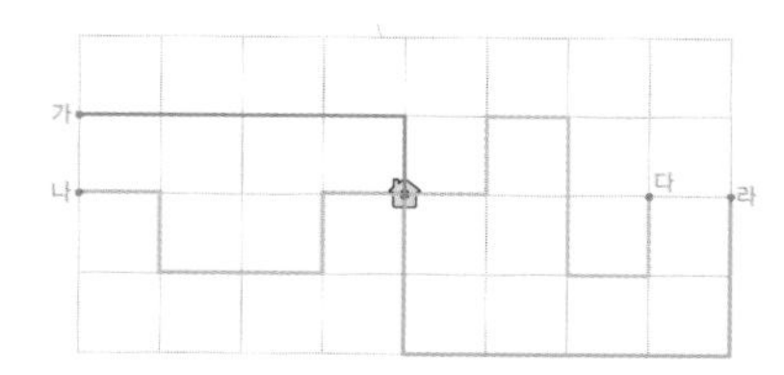

⑩ 닭은 집에서 가장 가까운 곳에 있습니다.
닭이 있는 곳은 어디입니까? 가

⑪ 토끼보다 멀리 있는 동물은 1마리 밖에 없습니다.
토끼가 있는 곳은 어디입니까? 다

⑫ 고양이는 집에서 닭보다는 멀고, 토끼보다는 가까이 있습니다.
고양이가 있는 곳은 어디입니까? 나

⑬ 원숭이는 나머지 한 곳에 있습니다.
원숭이가 있는 곳은 집에서 몇 칸 떨어져 있습니까? 8 칸

32 P2-비교하기

P 34 ~ 35

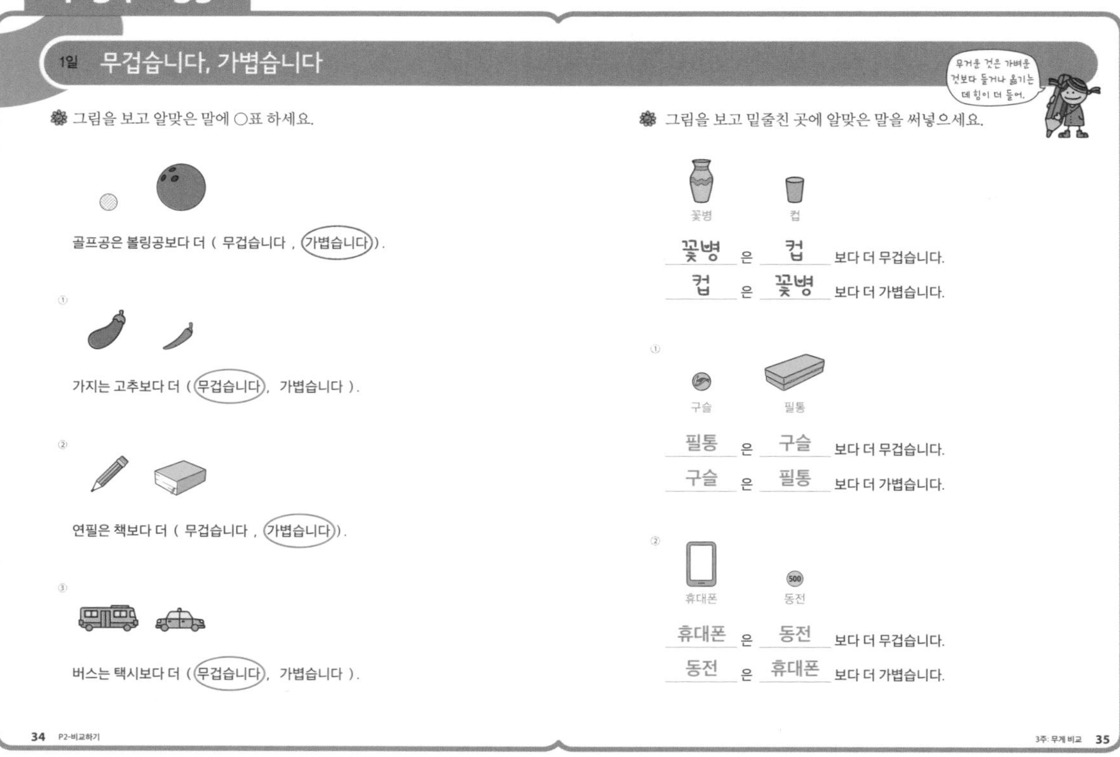
1일 무겁습니다, 가볍습니다
무거운 것은 가벼운 것보다 들거나 옮기는 데 힘이 더 들어.
그림을 보고 알맞은 말에 ○표 하세요.
골프공은 볼링공보다 더 (무겁습니다 , 가볍습니다).
가지는 고추보다 더 (무겁습니다, 가볍습니다).
연필은 책보다 더 (무겁습니다 , 가볍습니다).
버스는 택시보다 더 (무겁습니다, 가볍습니다).
그림을 보고 밑줄친 곳에 알맞은 말을 써넣으세요.
꽃병
컵
꽃병 은 컵 보다 더 무겁습니다.
컵 은 꽃병 보다 더 가볍습니다.
구슬
필통
필통 은 구슬 보다 더 무겁습니다.
구슬 은 필통 보다 더 가볍습니다.
휴대폰
동전
휴대폰 은 동전 보다 더 무겁습니다.
동전 은 휴대폰 보다 더 가볍습니다.
34 P2-비교하기
3주: 무게 비교 35

P 36 ~ 37

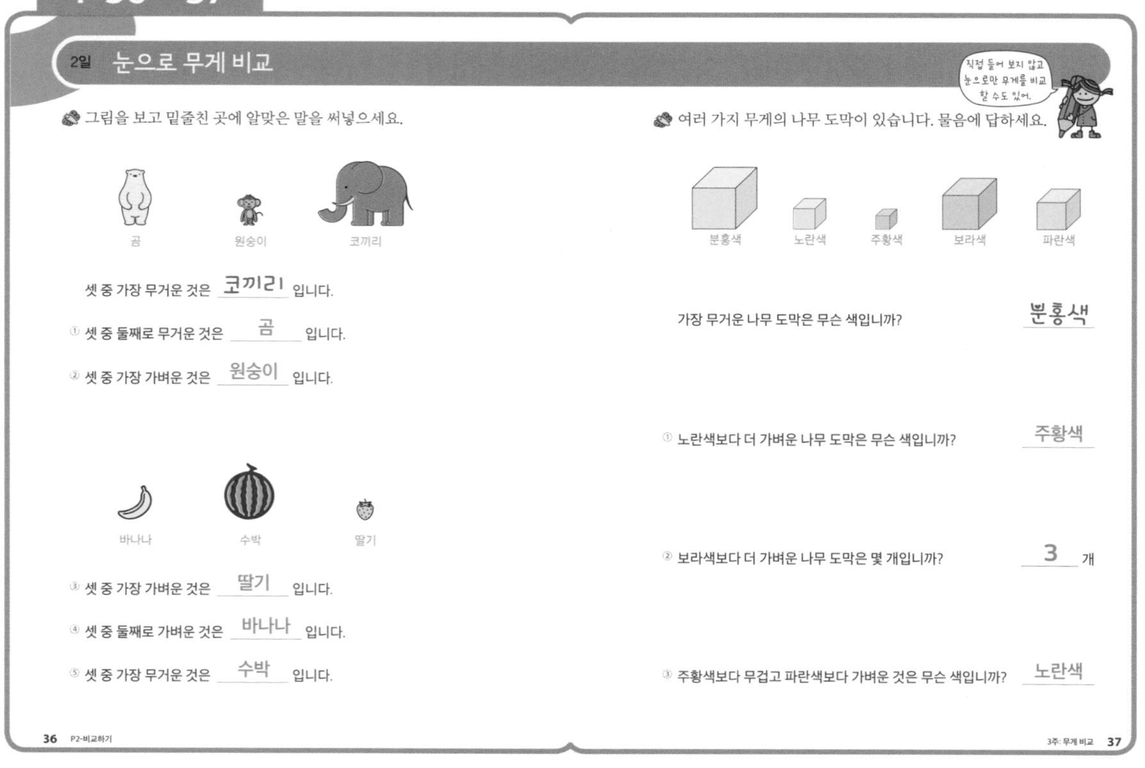
2일 눈으로 무게 비교
직접 들어 보지 않고 눈으로만 무게를 비교할 수도 있어.
그림을 보고 밑줄친 곳에 알맞은 말을 써넣으세요.
곰
원숭이
코끼리
셋 중 가장 무거운 것은 코끼리 입니다.
① 셋 중 둘째로 무거운 것은 곰 입니다.
② 셋 중 가장 가벼운 것은 원숭이 입니다.
바나나
수박
딸기
③ 셋 중 가장 가벼운 것은 딸기 입니다.
④ 셋 중 둘째로 가벼운 것은 바나나 입니다.
⑤ 셋 중 가장 무거운 것은 수박 입니다.
여러 가지 무게의 나무 도막이 있습니다. 물음에 답하세요.
분홍색
노란색
주황색
보라색
파란색
가장 무거운 나무 도막은 무슨 색입니까? 분홍색
① 노란색보다 더 가벼운 나무 도막은 무슨 색입니까? 주황색
② 보라색보다 더 가벼운 나무 도막은 몇 개입니까? 3 개
③ 주황색보다 무겁고 파란색보다 가벼운 것은 무슨 색입니까? 노란색
36 P2-비교하기
3주: 무게 비교 37

P 38 ~ 39

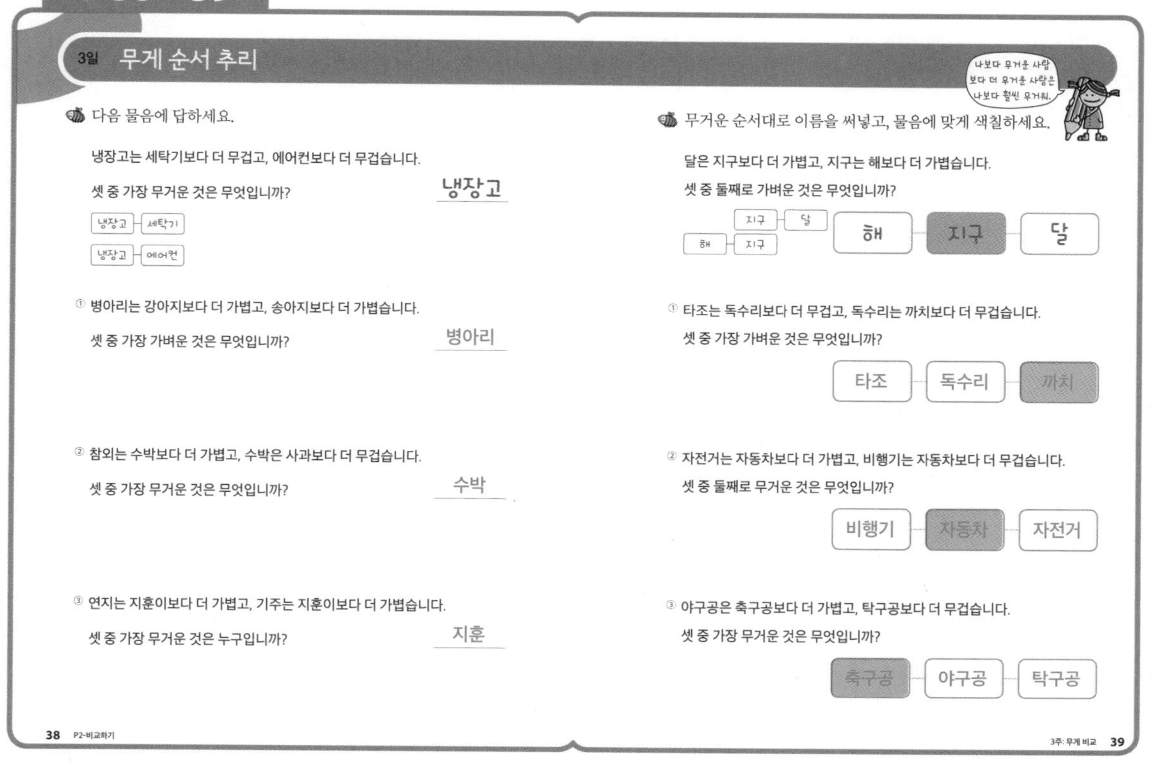

3일 무게 순서 추리

다음 물음에 답하세요.

냉장고는 세탁기보다 더 무겁고, 에어컨보다 더 무겁습니다.
셋 중 가장 무거운 것은 무엇입니까? 냉장고

냉장고 - 세탁기
냉장고 - 에어컨

① 병아리는 강아지보다 더 가볍고, 송아지보다 더 가볍습니다.
셋 중 가장 가벼운 것은 무엇입니까? 병아리

② 참외는 수박보다 더 가볍고, 수박은 사과보다 더 무겁습니다.
셋 중 가장 무거운 것은 무엇입니까? 수박

③ 연지는 지훈이보다 더 가볍고, 기주는 지훈이보다 더 가볍습니다.
셋 중 가장 무거운 것은 누구입니까? 지훈

무거운 순서대로 이름을 써넣고, 물음에 맞게 색칠하세요.

달은 지구보다 더 가볍고, 지구는 해보다 더 가볍습니다.
셋 중 둘째로 가벼운 것은 무엇입니까?

지구 - 달
해 - 지구

해 - 지구 - 달

① 타조는 독수리보다 더 무겁고, 독수리는 까치보다 더 무겁습니다.
셋 중 가장 가벼운 것은 무엇입니까?

타조 - 독수리 - 까치

② 자전거는 자동차보다 더 가볍고, 비행기는 자동차보다 더 무겁습니다.
셋 중 둘째로 무거운 것은 무엇입니까?

비행기 - 자동차 - 자전거

③ 야구공은 축구공보다 더 가볍고, 탁구공보다 더 무겁습니다.
셋 중 가장 무거운 것은 무엇입니까?

축구공 - 야구공 - 탁구공

38 P2-비교하기 | 3주: 무게 비교 39

P 40 ~ 41

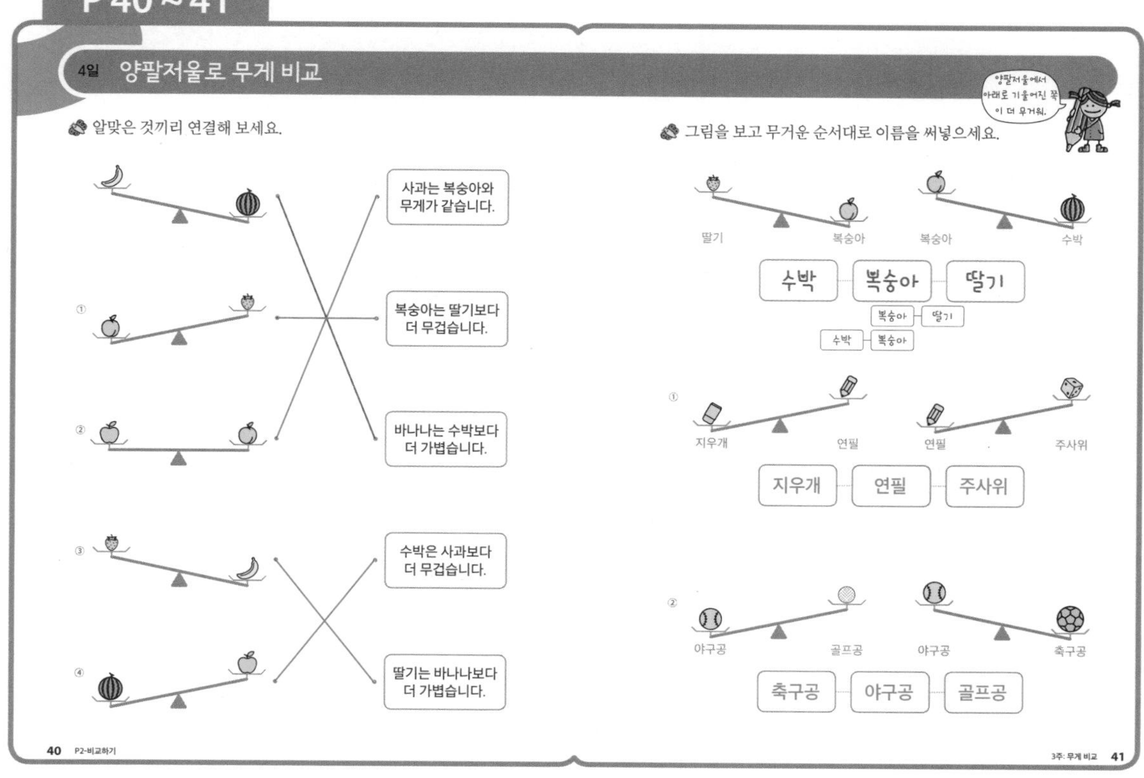

4일 양팔저울로 무게 비교

알맞은 것끼리 연결해 보세요.

사과는 복숭아와 무게가 같습니다.
복숭아는 딸기보다 더 무겁습니다.
바나나는 수박보다 더 가볍습니다.
수박은 사과보다 더 무겁습니다.
딸기는 바나나보다 더 가볍습니다.

그림을 보고 무거운 순서대로 이름을 써넣으세요.

딸기, 복숭아 | 복숭아, 수박

수박 - 복숭아 - 딸기

복숭아 - 딸기
수박 - 복숭아

① 지우개, 연필 | 연필, 주사위

지우개 - 연필 - 주사위

② 야구공, 골프공 | 야구공, 축구공

축구공 - 야구공 - 골프공

40 P2-비교하기 | 3주: 무게 비교 41

P 42 ~ 43

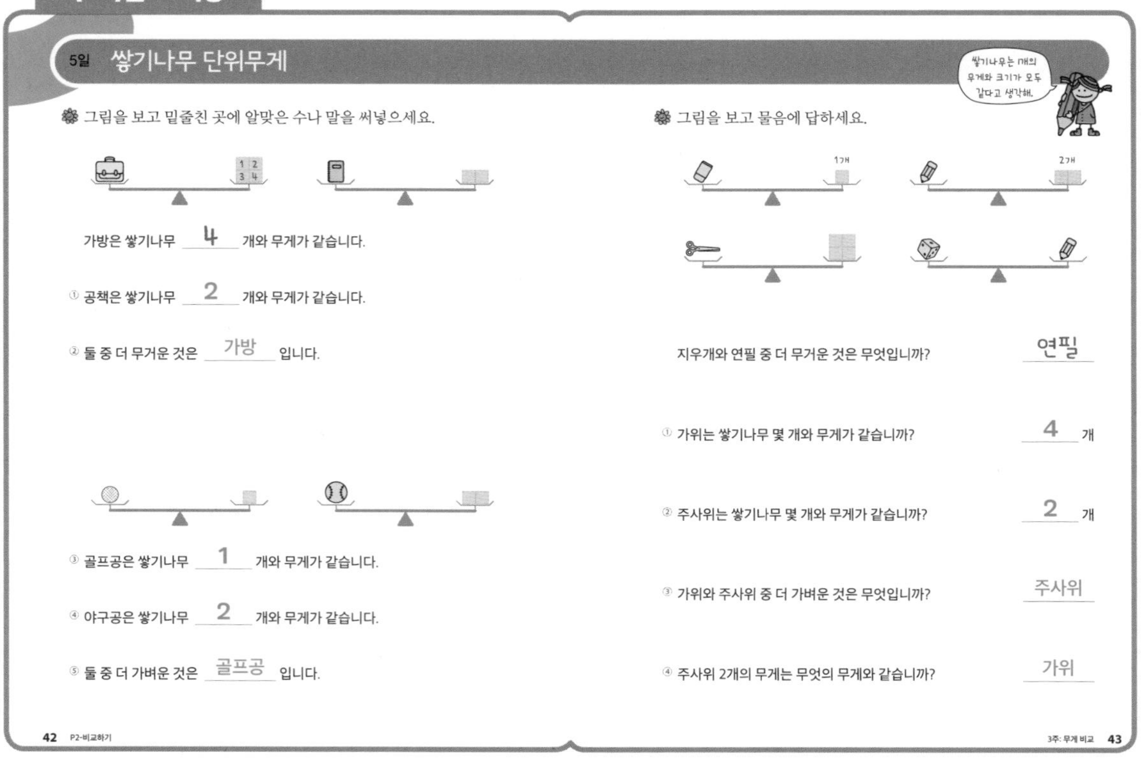

5일 쌓기나무 단위무게

❁ 그림을 보고 밑줄친 곳에 알맞은 수나 말을 써넣으세요.

가방은 쌓기나무 4 개와 무게가 같습니다.

① 공책은 쌓기나무 2 개와 무게가 같습니다.

② 둘 중 더 무거운 것은 가방 입니다.

③ 골프공은 쌓기나무 1 개와 무게가 같습니다.

④ 야구공은 쌓기나무 2 개와 무게가 같습니다.

⑤ 둘 중 더 가벼운 것은 골프공 입니다.

❁ 그림을 보고 물음에 답하세요.

지우개와 연필 중 더 무거운 것은 무엇입니까? 연필

① 가위는 쌓기나무 몇 개와 무게가 같습니까? 4 개

② 주사위는 쌓기나무 몇 개와 무게가 같습니까? 2 개

③ 가위와 주사위 중 더 가벼운 것은 무엇입니까? 주사위

④ 주사위 2개의 무게는 무엇의 무게와 같습니까? 가위

42 P2-비교하기 3주: 무게 비교 43

P 44 ~ 45

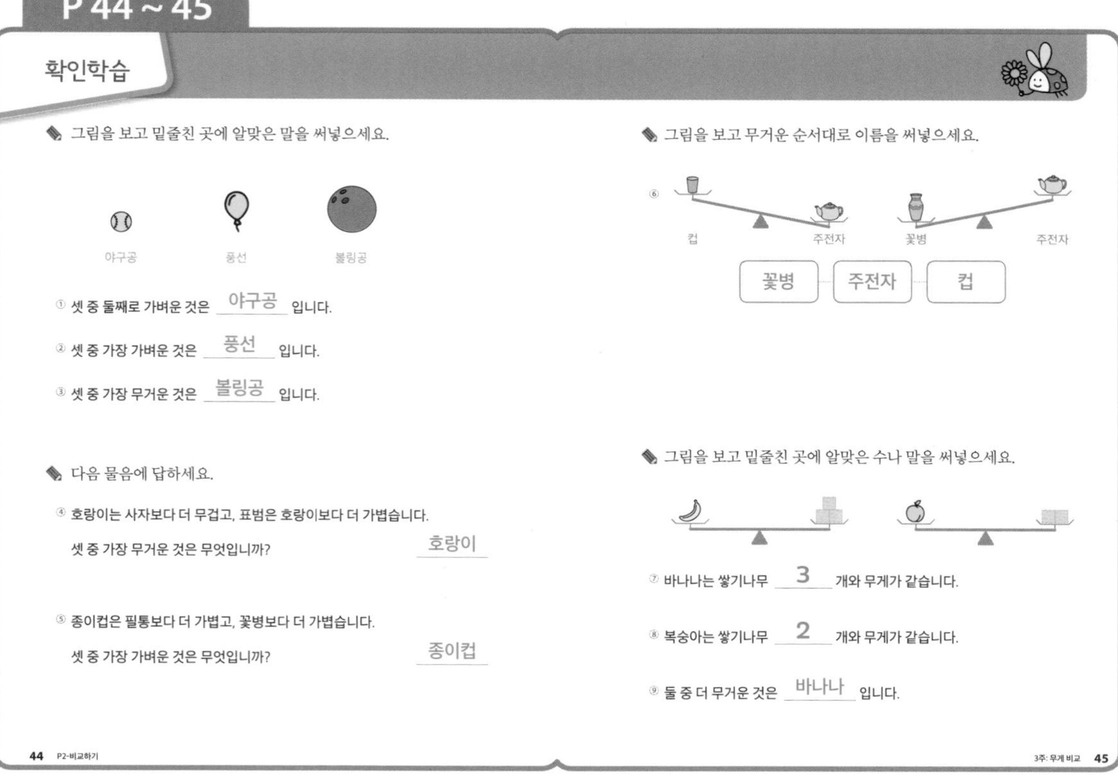

확인학습

✎ 그림을 보고 밑줄친 곳에 알맞은 말을 써넣으세요.

① 셋 중 둘째로 가벼운 것은 야구공 입니다.

② 셋 중 가장 가벼운 것은 풍선 입니다.

③ 셋 중 가장 무거운 것은 볼링공 입니다.

✎ 다음 물음에 답하세요.

④ 호랑이는 사자보다 더 무겁고, 표범은 호랑이보다 더 가볍습니다.
셋 중 가장 무거운 것은 무엇입니까? 호랑이

⑤ 종이컵은 필통보다 더 가볍고, 꽃병보다 더 가볍습니다.
셋 중 가장 가벼운 것은 무엇입니까? 종이컵

✎ 그림을 보고 무거운 순서대로 이름을 써넣으세요.

⑥

꽃병 – 주전자 – 컵

✎ 그림을 보고 밑줄친 곳에 알맞은 수나 말을 써넣으세요.

⑦ 바나나는 쌓기나무 3 개와 무게가 같습니다.

⑧ 복숭아는 쌓기나무 2 개와 무게가 같습니다.

⑨ 둘 중 더 무거운 것은 바나나 입니다.

44 P2-비교하기 3주: 무게 비교 45

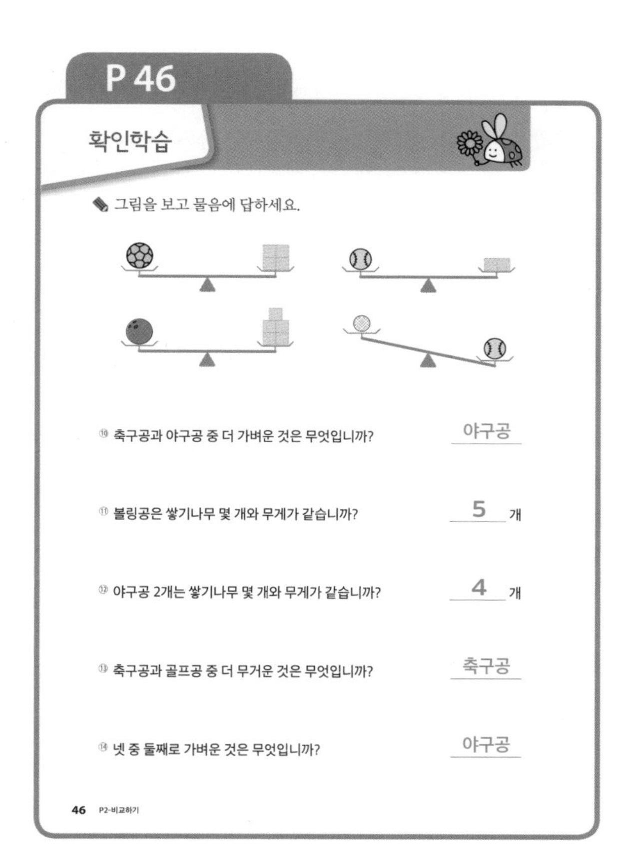

P 46

확인학습

그림을 보고 물음에 답하세요.

⑩ 축구공과 야구공 중 더 가벼운 것은 무엇입니까? 야구공

⑪ 볼링공은 쌓기나무 몇 개와 무게가 같습니까? 5 개

⑫ 야구공 2개는 쌓기나무 몇 개와 무게가 같습니까? 4 개

⑬ 축구공과 골프공 중 더 무거운 것은 무엇입니까? 축구공

⑭ 넷 중 둘째로 가벼운 것은 무엇입니까? 야구공

46 P2-비교하기

넓이 비교

P 48 ~ 49

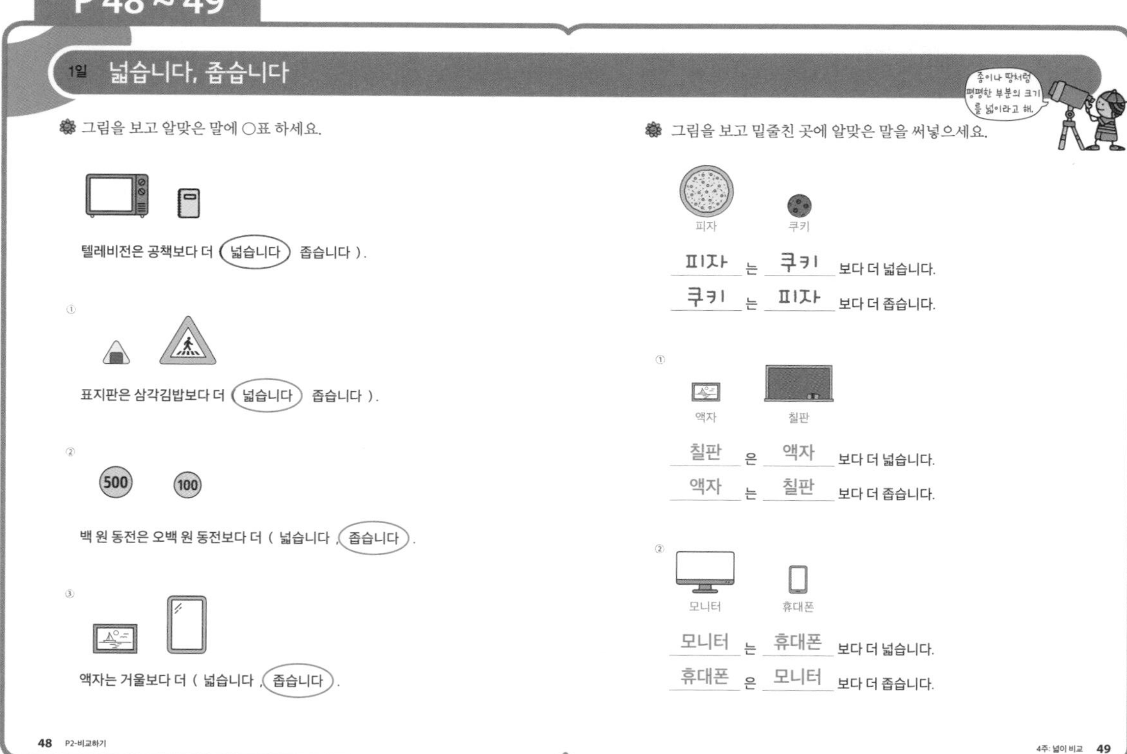
1일 넓습니다, 좁습니다

❀ 그림을 보고 알맞은 말에 ○표 하세요.

텔레비전은 공책보다 더 (넓습니다 , 좁습니다). — 넓습니다에 ○

① 표지판은 삼각김밥보다 더 (넓습니다 , 좁습니다). — 넓습니다에 ○

② 백 원 동전은 오백 원 동전보다 더 (넓습니다 , 좁습니다). — 좁습니다에 ○

③ 액자는 거울보다 더 (넓습니다 , 좁습니다). — 좁습니다에 ○

❀ 그림을 보고 밑줄친 곳에 알맞은 말을 써넣으세요.

피자 쿠키

피자 는 쿠키 보다 더 넓습니다.
쿠키 는 피자 보다 더 좁습니다.

① 액자 칠판

칠판 은 액자 보다 더 넓습니다.
액자 는 칠판 보다 더 좁습니다.

② 모니터 휴대폰

모니터 는 휴대폰 보다 더 넓습니다.
휴대폰 은 모니터 보다 더 좁습니다.

48 P2-비교하기 4주: 넓이 비교 49

P 50 ~ 51

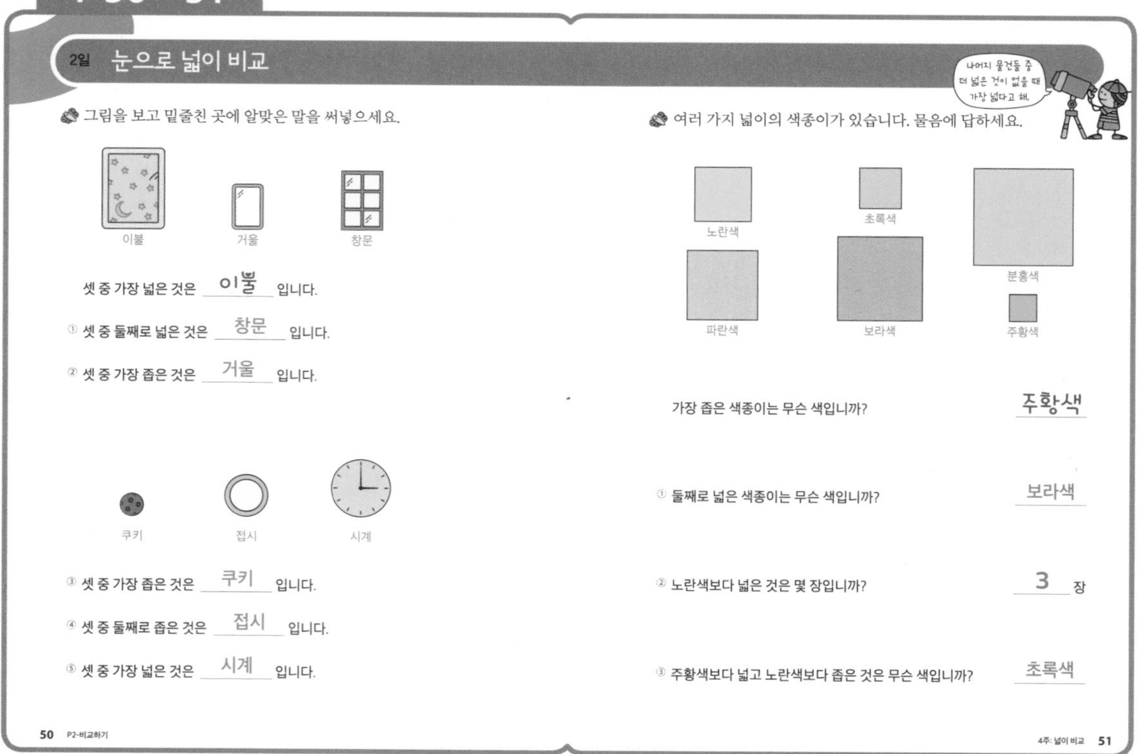
2일 눈으로 넓이 비교

❀ 그림을 보고 밑줄친 곳에 알맞은 말을 써넣으세요.

이불 거울 창문

셋 중 가장 넓은 것은 이불 입니다.

① 셋 중 둘째로 넓은 것은 창문 입니다.

② 셋 중 가장 좁은 것은 거울 입니다.

쿠키 접시 시계

③ 셋 중 가장 좁은 것은 쿠키 입니다.

④ 셋 중 둘째로 좁은 것은 접시 입니다.

⑤ 셋 중 가장 넓은 것은 시계 입니다.

❀ 여러 가지 넓이의 색종이가 있습니다. 물음에 답하세요.

노란색 초록색 분홍색 파란색 보라색 주황색

가장 좁은 색종이는 무슨 색입니까? 주황색

① 둘째로 넓은 색종이는 무슨 색입니까? 보라색

② 노란색보다 넓은 것은 몇 장입니까? 3 장

③ 주황색보다 넓고 노란색보다 좁은 것은 무슨 색입니까? 초록색

50 P2-비교하기 4주: 넓이 비교 51

P 52 ~ 53

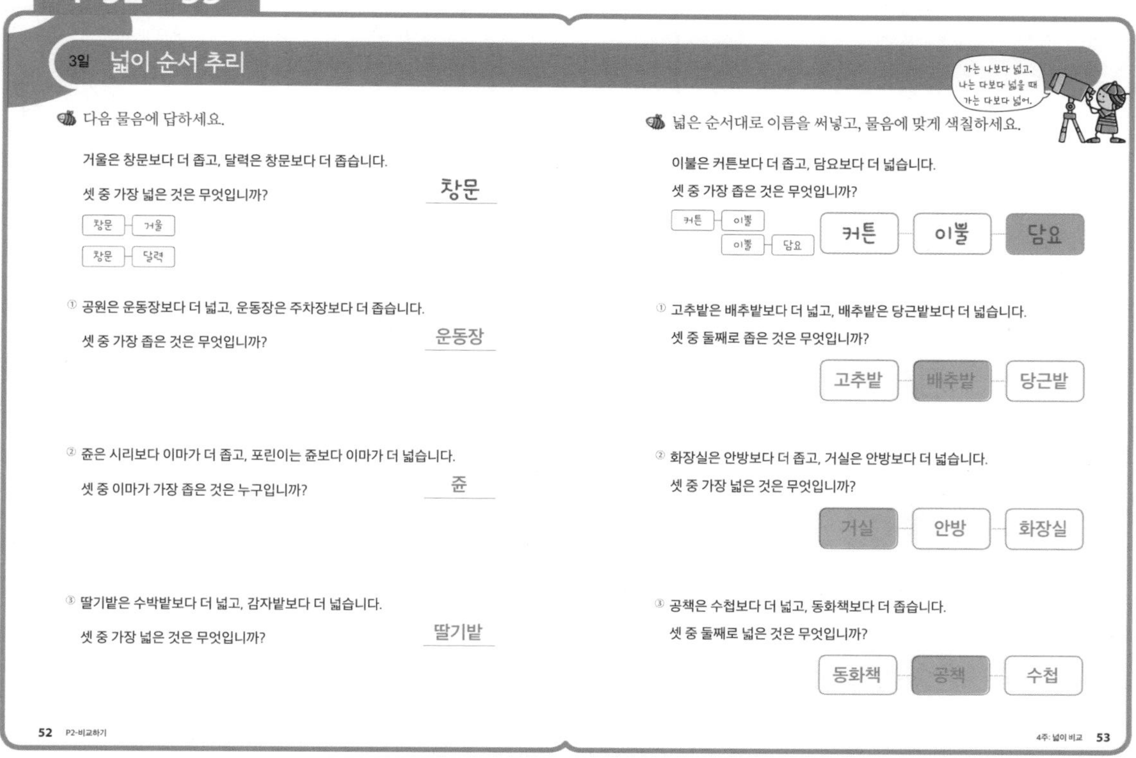

3일 넓이 순서 추리

다음 물음에 답하세요.

거울은 창문보다 더 좁고, 달력은 창문보다 더 좁습니다.
셋 중 가장 넓은 것은 무엇입니까? 창문

창문 - 거울
창문 - 달력

① 공원은 운동장보다 더 넓고, 운동장은 주차장보다 더 좁습니다.
셋 중 가장 좁은 것은 무엇입니까? 운동장

② 쥰은 시리보다 이마가 더 좁고, 포린이는 쥰보다 이마가 더 넓습니다.
셋 중 이마가 가장 좁은 것은 누구입니까? 쥰

③ 딸기밭은 수박밭보다 더 넓고, 감자밭보다 더 넓습니다.
셋 중 가장 넓은 것은 무엇입니까? 딸기밭

넓은 순서대로 이름을 써넣고, 물음에 맞게 색칠하세요.

이불은 커튼보다 더 좁고, 담요보다 더 넓습니다.
셋 중 가장 좁은 것은 무엇입니까?

커튼 - 이불
이불 - 담요

커튼 - 이불 - 담요

① 고추밭은 배추밭보다 더 넓고, 배추밭은 당근밭보다 더 넓습니다.
셋 중 둘째로 좁은 것은 무엇입니까?

고추밭 - 배추밭 - 당근밭

② 화장실은 안방보다 더 좁고, 거실은 안방보다 더 넓습니다.
셋 중 가장 넓은 것은 무엇입니까?

거실 - 안방 - 화장실

③ 공책은 수첩보다 더 넓고, 동화책보다 더 좁습니다.
셋 중 둘째로 넓은 것은 무엇입니까?

동화책 - 공책 - 수첩

52 P2-비교하기 | 4주: 넓이 비교 53

P 54 ~ 55

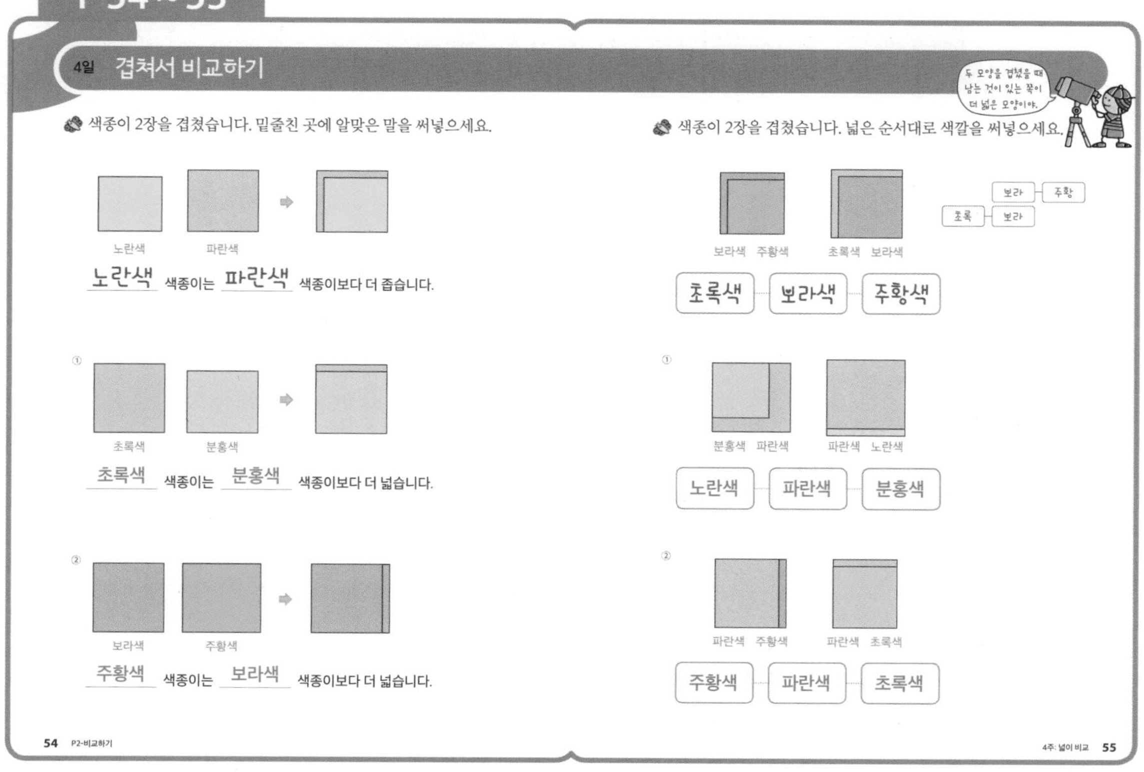

4일 겹쳐서 비교하기

색종이 2장을 겹쳤습니다. 밑줄 친 곳에 알맞은 말을 써넣으세요.

노란색 파란색

노란색 색종이는 파란색 색종이보다 더 좁습니다.

① 초록색 분홍색

초록색 색종이는 분홍색 색종이보다 더 넓습니다.

② 보라색 주황색

주황색 색종이는 보라색 색종이보다 더 넓습니다.

색종이 2장을 겹쳤습니다. 넓은 순서대로 색깔을 써넣으세요.

보라색 주황색 / 초록색 보라색

보라 - 주황
초록 - 보라

초록색 - 보라색 - 주황색

① 분홍색 파란색 / 파란색 노란색

노란색 - 파란색 - 분홍색

② 파란색 주황색 / 파란색 초록색

주황색 - 파란색 - 초록색

54 P2-비교하기 | 4주: 넓이 비교 55

4주 넓이 비교

P 56 ~ 57

5일 모눈 단위넓이

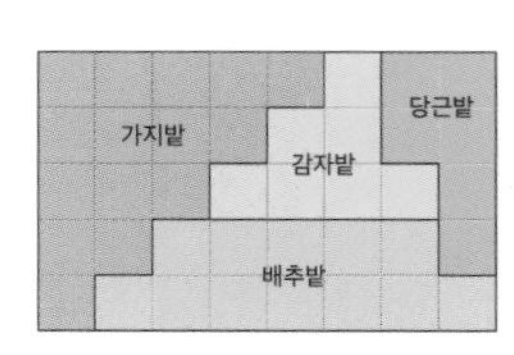

❀ 그림을 보고 밑줄친 곳에 알맞은 수나 말을 써넣으세요.

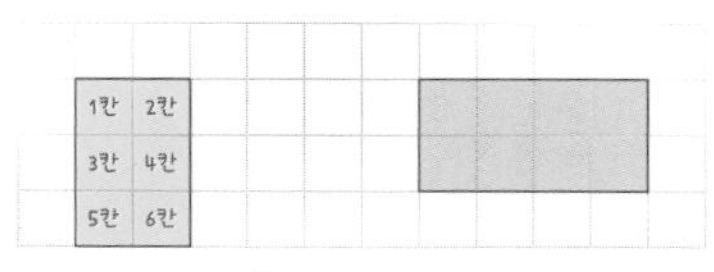

노란색 색종이는 모눈 6 칸과 넓이가 같습니다.

① 파란색 색종이는 모눈 8 칸과 넓이가 같습니다.

② 둘 중 더 넓은 것은 파란색 색종이입니다.

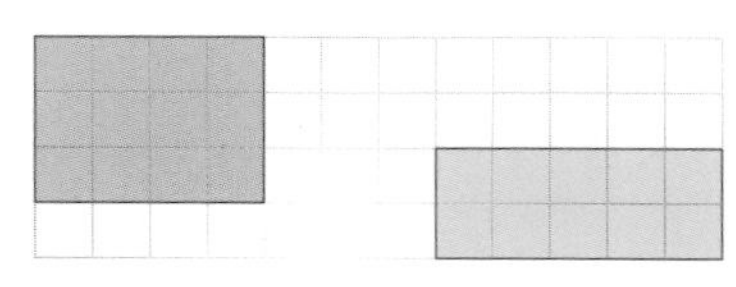

③ 보라색 색종이는 모눈 12 칸과 넓이가 같습니다.

④ 분홍색 색종이는 모눈 10 칸과 넓이가 같습니다.

⑤ 둘 중 더 좁은 것은 분홍색 색종이입니다.

가로, 세로 간격이 일정한 모눈은 한 칸의 넓이도 일정하지.

❀ 채소밭 그림을 보고 물음에 답하세요.

감자밭은 모눈 몇 칸과 넓이가 같습니까? 7 칸

① 당근밭과 배추밭 중 더 넓은 밭은 어디입니까? 배추밭

② 넷 중 가장 넓은 밭은 어디입니까? 가지밭

③ 당근밭보다 넓고, 배추밭보다 좁은 밭은 어디입니까? 감자밭

④ 가지밭은 당근밭보다 모눈 몇 칸만큼 더 넓습니까? 9 칸

56 P2-비교하기 4주: 넓이 비교 57

P 58 ~ 59

확인학습

✎ 그림을 보고 밑줄친 곳에 알맞은 말을 써넣으세요.

거울

액자

텔레비전

① 셋 중 가장 좁은 것은 액자 입니다.

② 셋 중 둘째로 넓은 것은 텔레비전 입니다.

✎ 넓은 순서대로 이름을 써넣고, 물음에 맞게 색칠하세요.

③ 감자밭은 당근밭보다 더 좁고, 양파밭은 감자밭보다 더 좁습니다.
셋 중 둘째로 좁은 것은 무엇입니까?

당근밭 – 감자밭 – 양파밭

④ 운동장은 수영장보다 더 넓고, 광장보다 더 좁습니다.
셋 중 가장 넓은 것은 무엇입니까?

광장 – 운동장 – 수영장

✎ 색종이 2장을 겹쳤습니다. 넓은 순서대로 색깔을 써넣으세요.

⑤

초록색 노란색 초록색 파란색

노란색 – 초록색 – 파란색

✎ 그림을 보고 밑줄친 곳에 알맞은 수나 말을 써넣으세요.

⑥ 주황색 색종이는 모눈 12 칸과 넓이가 같습니다.

⑦ 초록색 색종이는 모눈 9 칸과 넓이가 같습니다.

⑧ 둘 중 더 좁은 것은 초록색 색종이입니다.

58 P2-비교하기 4주: 넓이 비교 59

P 60

확인학습

네 사람이 나누어 가진 땅을 보고 물음에 답하세요.

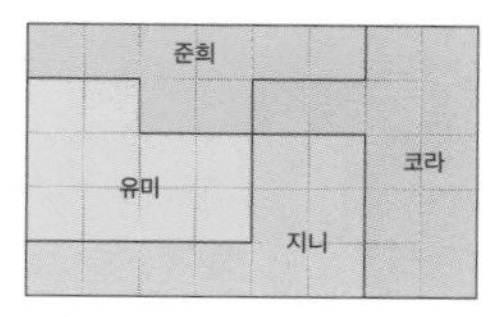

⑨ 코라의 땅은 모눈 몇 칸과 넓이가 같습니까? 12 칸

⑩ 유미보다 더 넓은 땅을 가진 사람은 누구입니까? 코라

⑪ 지니의 땅과 넓이가 같은 땅은 누구의 땅입니까? 유미

⑫ 넷 중 가장 좁은 땅을 가진 사람은 누구입니까? 준희

⑬ 코라의 땅은 준희의 땅보다 모눈 몇 칸만큼 더 넓습니까? 4 칸

60 P2-비교하기

P62 ~ 63

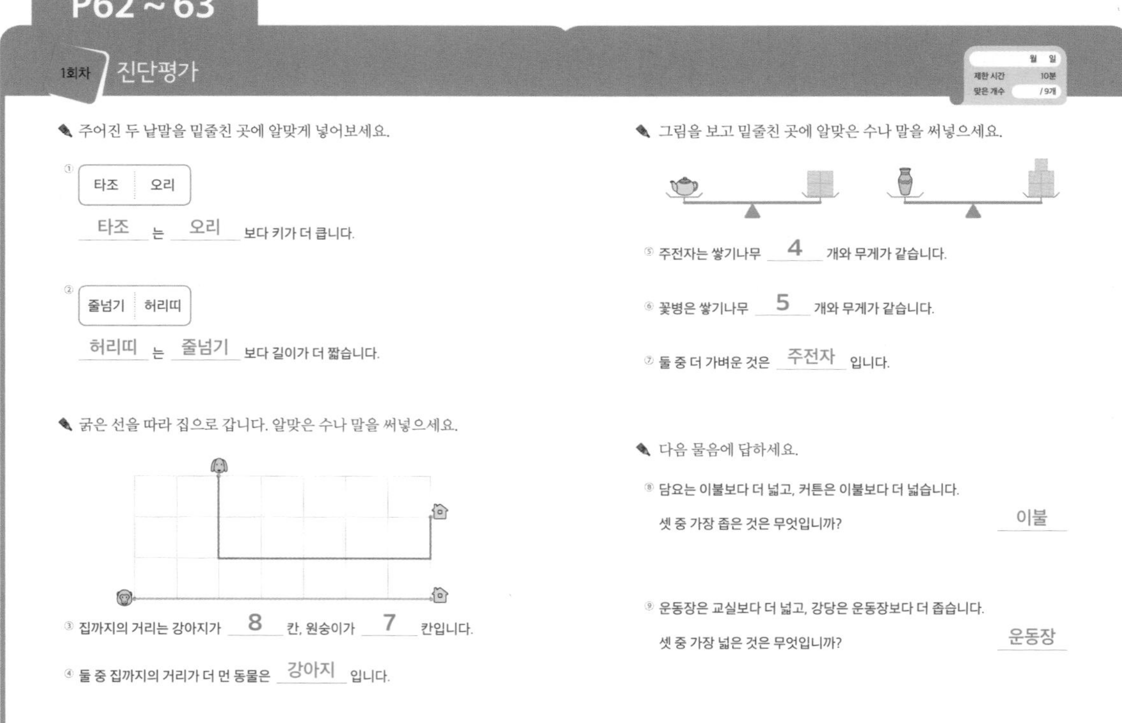

1회차 진단평가

월 일 / 제한 시간 10분 / 맞은 개수 /9개

✎ 주어진 두 낱말을 밑줄친 곳에 알맞게 넣어보세요.

① 타조 | 오리

타조 는 오리 보다 키가 더 큽니다.

② 줄넘기 | 허리띠

허리띠 는 줄넘기 보다 길이가 더 짧습니다.

✎ 굵은 선을 따라 집으로 갑니다. 알맞은 수나 말을 써넣으세요.

③ 집까지의 거리는 강아지가 8 칸, 원숭이가 7 칸입니다.

④ 둘 중 집까지의 거리가 더 먼 동물은 강아지 입니다.

✎ 그림을 보고 밑줄친 곳에 알맞은 수나 말을 써넣으세요.

⑤ 주전자는 쌓기나무 4 개와 무게가 같습니다.

⑥ 꽃병은 쌓기나무 5 개와 무게가 같습니다.

⑦ 둘 중 더 가벼운 것은 주전자 입니다.

✎ 다음 물음에 답하세요.

⑧ 담요는 이불보다 더 넓고, 커튼은 이불보다 더 넓습니다.
셋 중 가장 좁은 것은 무엇입니까? 이불

⑨ 운동장은 교실보다 더 넓고, 강당은 운동장보다 더 좁습니다.
셋 중 가장 넓은 것은 무엇입니까? 운동장

62 P2-비교하기 진단평가 63

P 64 ~ 65

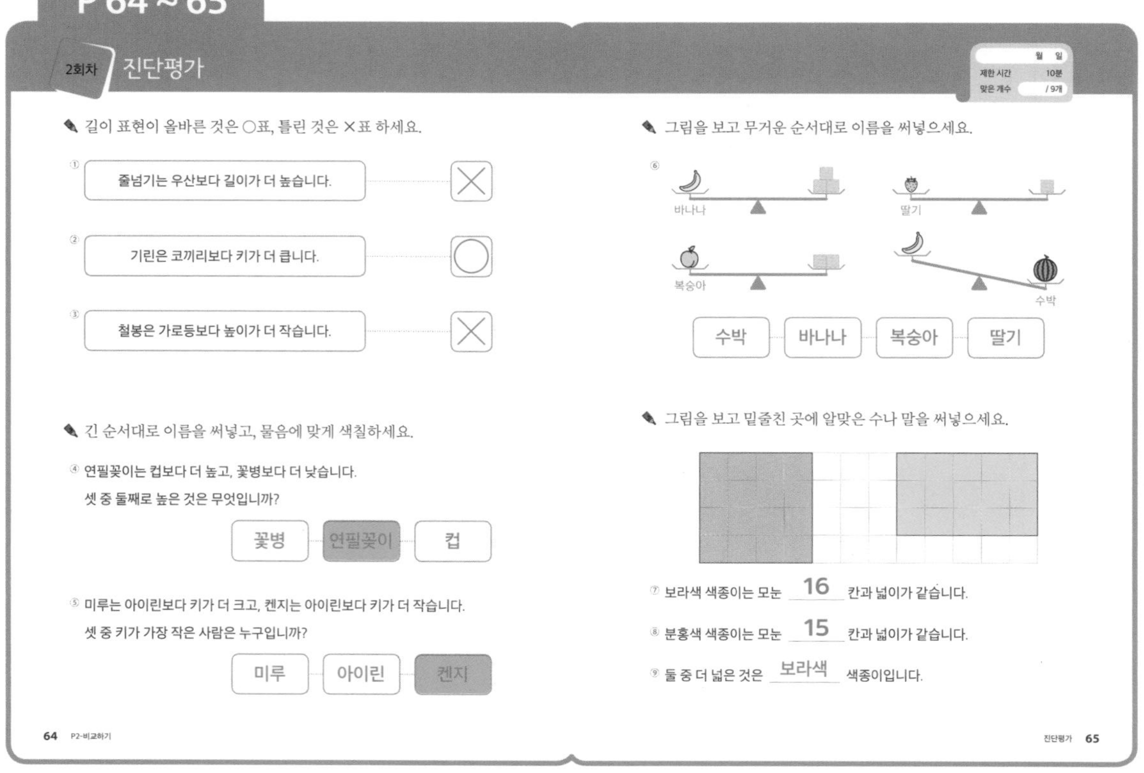

2회차 진단평가

월 일 / 제한 시간 10분 / 맞은 개수 /9개

✎ 길이 표현이 올바른 것은 ○표, 틀린 것은 ×표 하세요.

① 줄넘기는 우산보다 길이가 더 높습니다. ×

② 기린은 코끼리보다 키가 더 큽니다. ○

③ 철봉은 가로등보다 높이가 더 작습니다. ×

✎ 긴 순서대로 이름을 써넣고, 물음에 맞게 색칠하세요.

④ 연필꽂이는 컵보다 더 높고, 꽃병보다 더 낮습니다.
셋 중 둘째로 높은 것은 무엇입니까?

꽃병 | 연필꽂이 | 컵

⑤ 미루는 아이린보다 키가 더 크고, 켄지는 아이린보다 키가 더 작습니다.
셋 중 키가 가장 작은 사람은 누구입니까?

미루 | 아이린 | 켄지

✎ 그림을 보고 무거운 순서대로 이름을 써넣으세요.

⑥ 바나나 딸기 복숭아 수박

수박 | 바나나 | 복숭아 | 딸기

✎ 그림을 보고 밑줄친 곳에 알맞은 수나 말을 써넣으세요.

⑦ 보라색 색종이는 모눈 16 칸과 넓이가 같습니다.

⑧ 분홍색 색종이는 모눈 15 칸과 넓이가 같습니다.

⑨ 둘 중 더 넓은 것은 보라색 색종이입니다.

64 P2-비교하기 진단평가 65

P 66 ~ 67

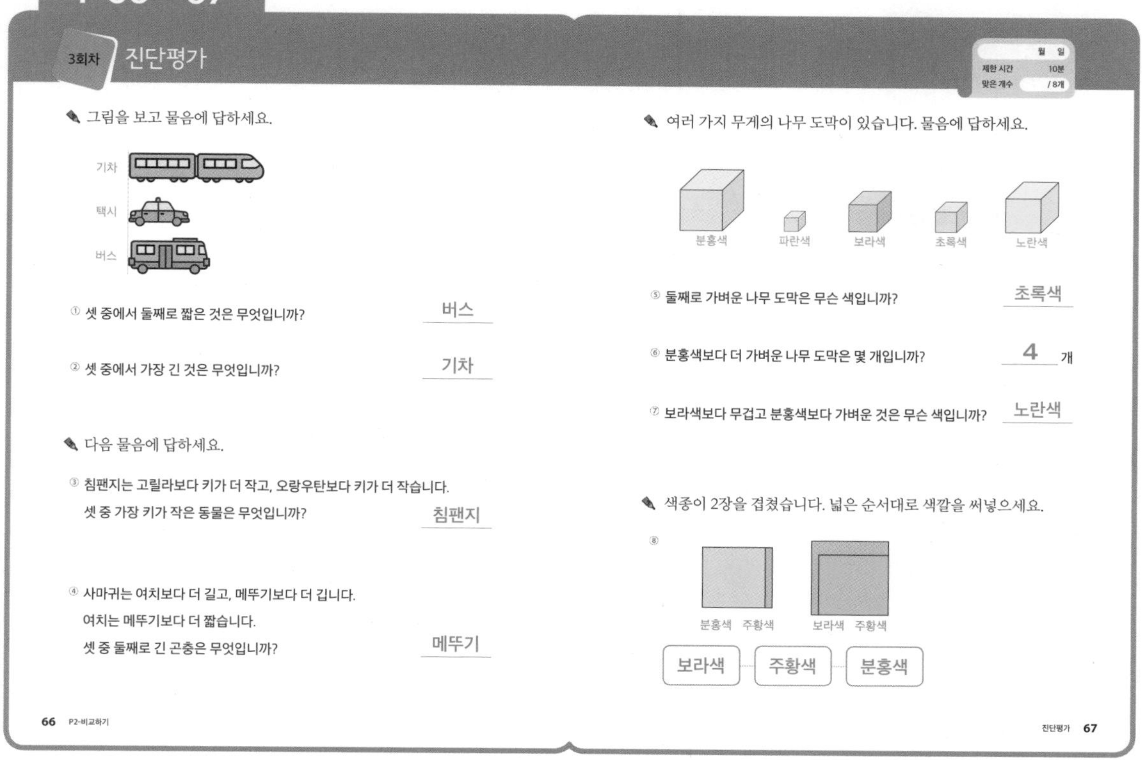

3회차 진단평가

월 일
제한 시간 10분
맞은 개수 / 8개

그림을 보고 물음에 답하세요.

기차
택시
버스

① 셋 중에서 둘째로 짧은 것은 무엇입니까? 버스

② 셋 중에서 가장 긴 것은 무엇입니까? 기차

다음 물음에 답하세요.

③ 침팬지는 고릴라보다 키가 더 작고, 오랑우탄보다 키가 더 작습니다.
셋 중 가장 키가 작은 동물은 무엇입니까? 침팬지

④ 사마귀는 여치보다 더 길고, 메뚜기보다 더 깁니다.
여치는 메뚜기보다 더 짧습니다.
셋 중 둘째로 긴 곤충은 무엇입니까? 메뚜기

여러 가지 무게의 나무 도막이 있습니다. 물음에 답하세요.

분홍색 파란색 보라색 초록색 노란색

⑤ 둘째로 가벼운 나무 도막은 무슨 색입니까? 초록색

⑥ 분홍색보다 더 가벼운 나무 도막은 몇 개입니까? 4 개

⑦ 보라색보다 무겁고 분홍색보다 가벼운 것은 무슨 색입니까? 노란색

색종이 2장을 겹쳤습니다. 넓은 순서대로 색깔을 써넣으세요.

⑧

분홍색 주황색 보라색 주황색

보라색 — 주황색 — 분홍색

66 P2-비교하기

진단평가 67

P 68 ~ 69

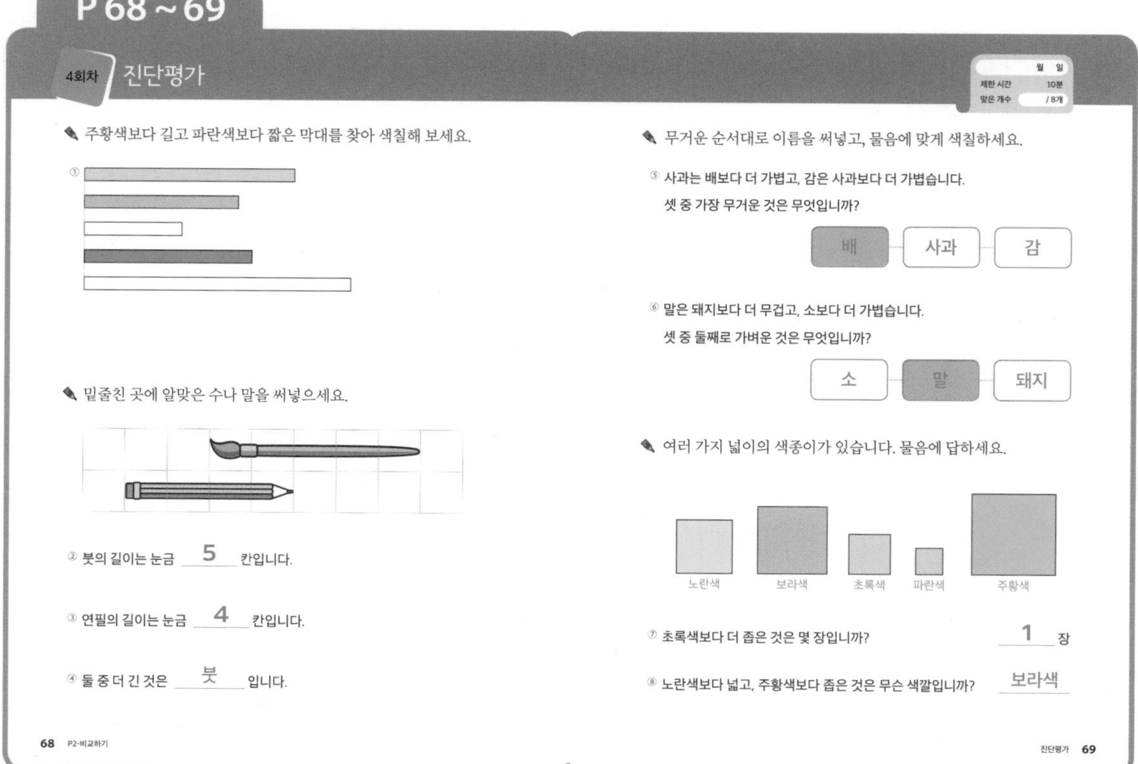

4회차 진단평가

월 일
제한 시간 10분
맞은 개수 / 8개

주황색보다 길고 파란색보다 짧은 막대를 찾아 색칠해 보세요.

①

밑줄친 곳에 알맞은 수나 말을 써넣으세요.

② 붓의 길이는 눈금 5 칸입니다.

③ 연필의 길이는 눈금 4 칸입니다.

④ 둘 중 더 긴 것은 붓 입니다.

무거운 순서대로 이름을 써넣고, 물음에 맞게 색칠하세요.

⑤ 사과는 배보다 더 가볍고, 감은 사과보다 더 가볍습니다.
셋 중 가장 무거운 것은 무엇입니까?

배 — 사과 — 감

⑥ 말은 돼지보다 더 무겁고, 소보다 더 가볍습니다.
셋 중 둘째로 가벼운 것은 무엇입니까?

소 — 말 — 돼지

여러 가지 넓이의 색종이가 있습니다. 물음에 답하세요.

노란색 보라색 초록색 파란색 주황색

⑦ 초록색보다 더 좁은 것은 몇 장입니까? 1 장

⑧ 노란색보다 넓고, 주황색보다 좁은 것은 무슨 색깔입니까? 보라색

68 P2-비교하기

진단평가 69

진단평가

P 70 ~ 71

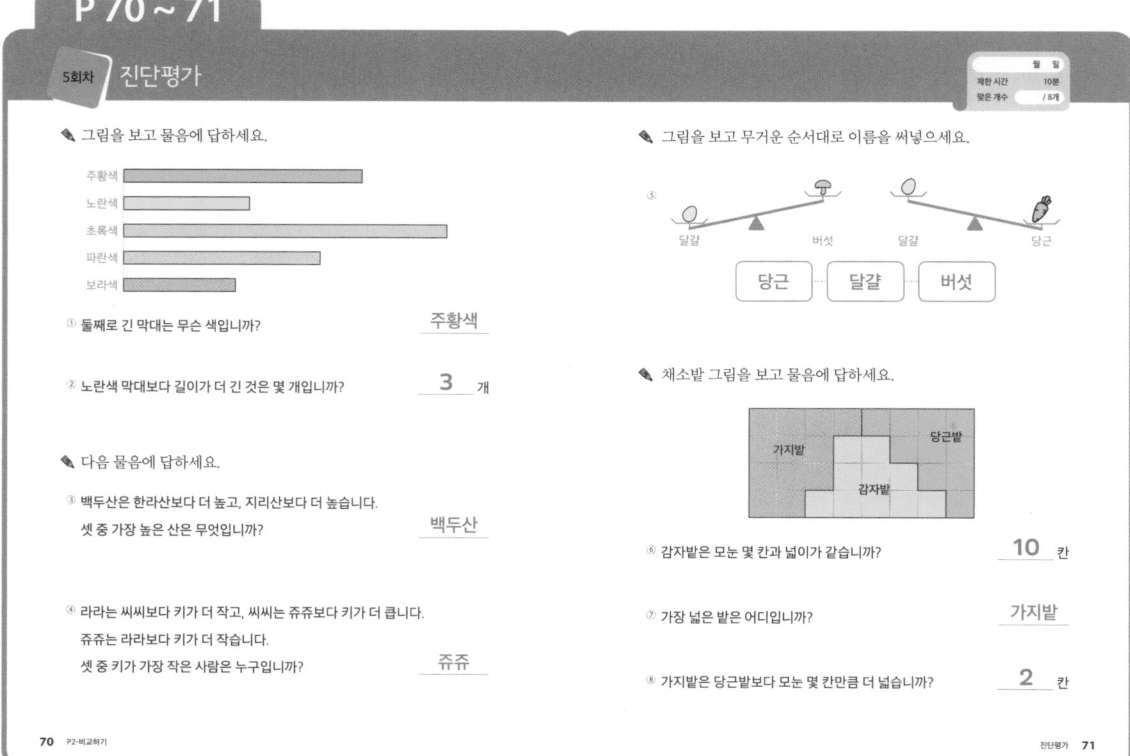

5회차 진단평가

월 일
제한 시간 10분
맞은 개수 / 8개

✎ 그림을 보고 물음에 답하세요.

① 둘째로 긴 막대는 무슨 색입니까? 주황색

② 노란색 막대보다 길이가 더 긴 것은 몇 개입니까? 3 개

✎ 다음 물음에 답하세요.

③ 백두산은 한라산보다 더 높고, 지리산보다 더 높습니다.
셋 중 가장 높은 산은 무엇입니까? 백두산

④ 라라는 씨씨보다 키가 더 작고, 씨씨는 쥬쥬보다 키가 더 큽니다.
쥬쥬는 라라보다 키가 더 작습니다.
셋 중 키가 가장 작은 사람은 누구입니까? 쥬쥬

70 P2-비교하기

✎ 그림을 보고 무거운 순서대로 이름을 써넣으세요.

⑤

당근 달걀 버섯

✎ 채소밭 그림을 보고 물음에 답하세요.

⑥ 감자밭은 모눈 몇 칸과 넓이가 같습니까? 10 칸

⑦ 가장 넓은 밭은 어디입니까? 가지밭

⑧ 가지밭은 당근밭보다 모눈 몇 칸만큼 더 넓습니까? 2 칸

진단평가 71

“

The essence of mathematics
is its freedom.

”

"수학의 본질은 그 자유로움에 있다."

Georg Cantor, 게오르크 칸토어